夕暮人生

夕暮れへ

齋藤薺　齋藤 なずな

高彩雯・譯

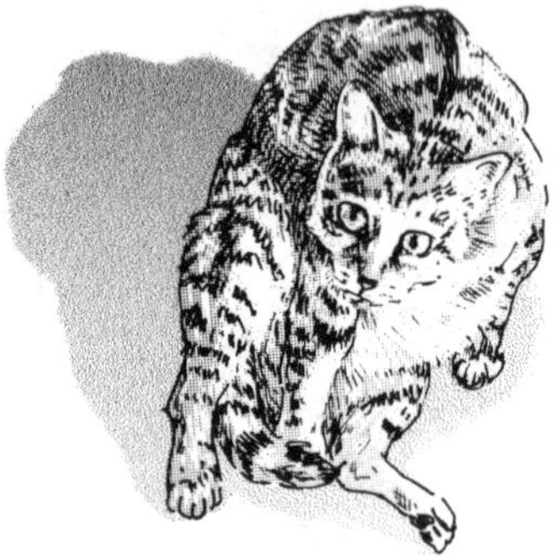

夕暮人生

PHILIP MORRIS
MILDSEV
VENSTA
扣咚
呼—
老婆離家了……
噗嚕嚕
突然，想穿過公園回家
沙
公園
麻雀這種生物
チュン
チュン
チュン
チュン
チュン
チュン
チュン
チュン
啾啾
啾啾
啾啾

一到黃昏就聚在一起啾啾叫哪……
ざっざっざっ
沙沙沙
……
……
不可虐待動物
呱呱
……
……
呱呱
呱呱
……好像

……
要更
有點活著的興味
可是我已經沒辦法擠出任何東西了
啵
踩
踩
……
嗯？
太危險了！

這樣亂丟玻璃！
恩？
啪
ペキッ
是冰啊！
……
小孩從水池搬過來的嗎
這邊朝北……因為白天也曬不到太陽嗎……
冰……

咔鏘……
很久以前
我曾經弄破了大大圓圓的冰塊
那是……叫做蓮花缽嗎

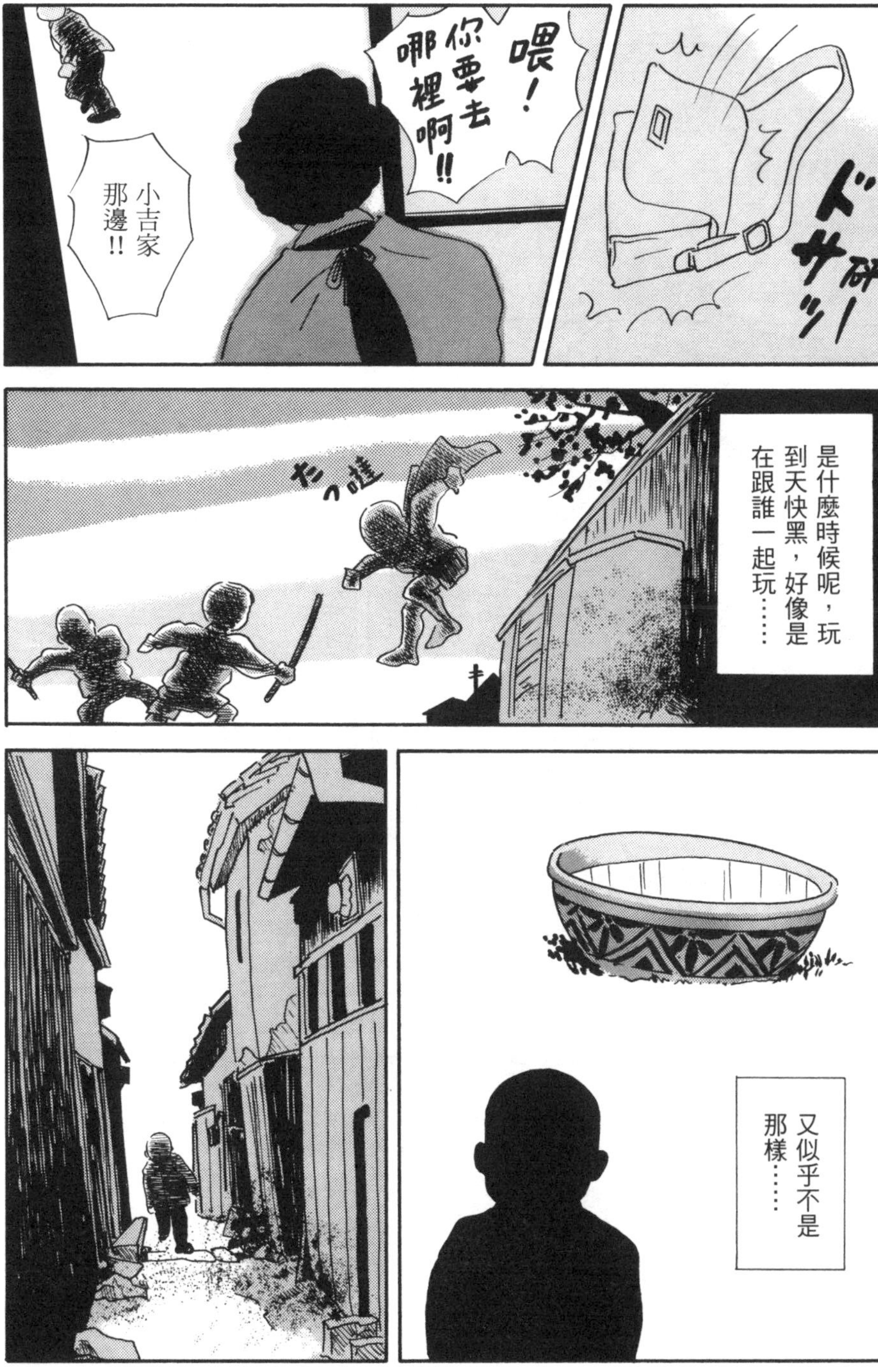
ドサッ 砰—
喂！你要去哪裡啊!!
小吉家那邊!!
是什麼時候呢，玩到天快黑，好像是在跟誰一起玩……
たっ哇
又似乎不是那樣……

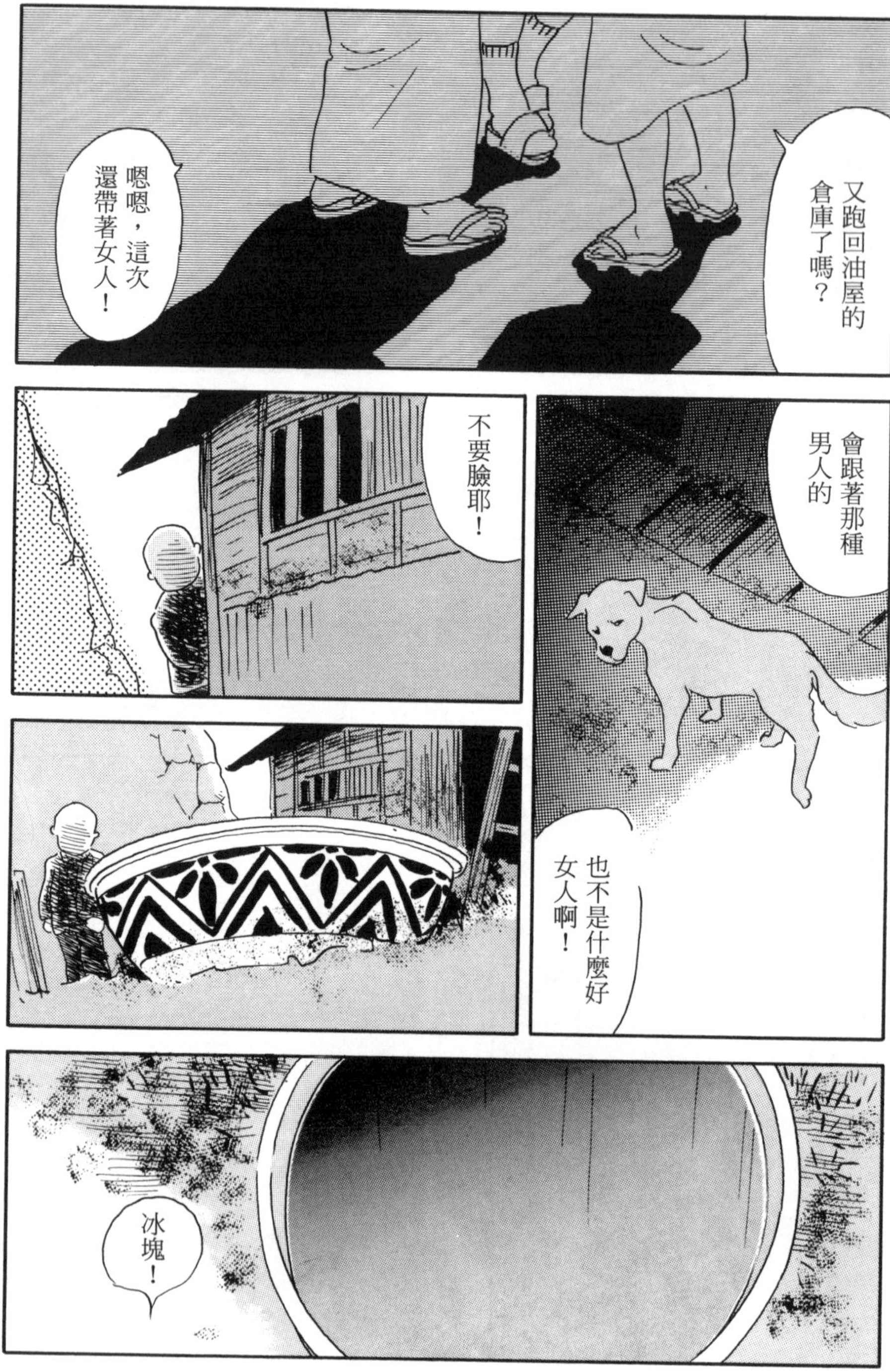
又跑回油屋的倉庫了嗎？
嗯嗯，這次還帶著女人！
會跟著那種男人的
也不是什麼好女人啊！
不要臉耶！
冰塊！

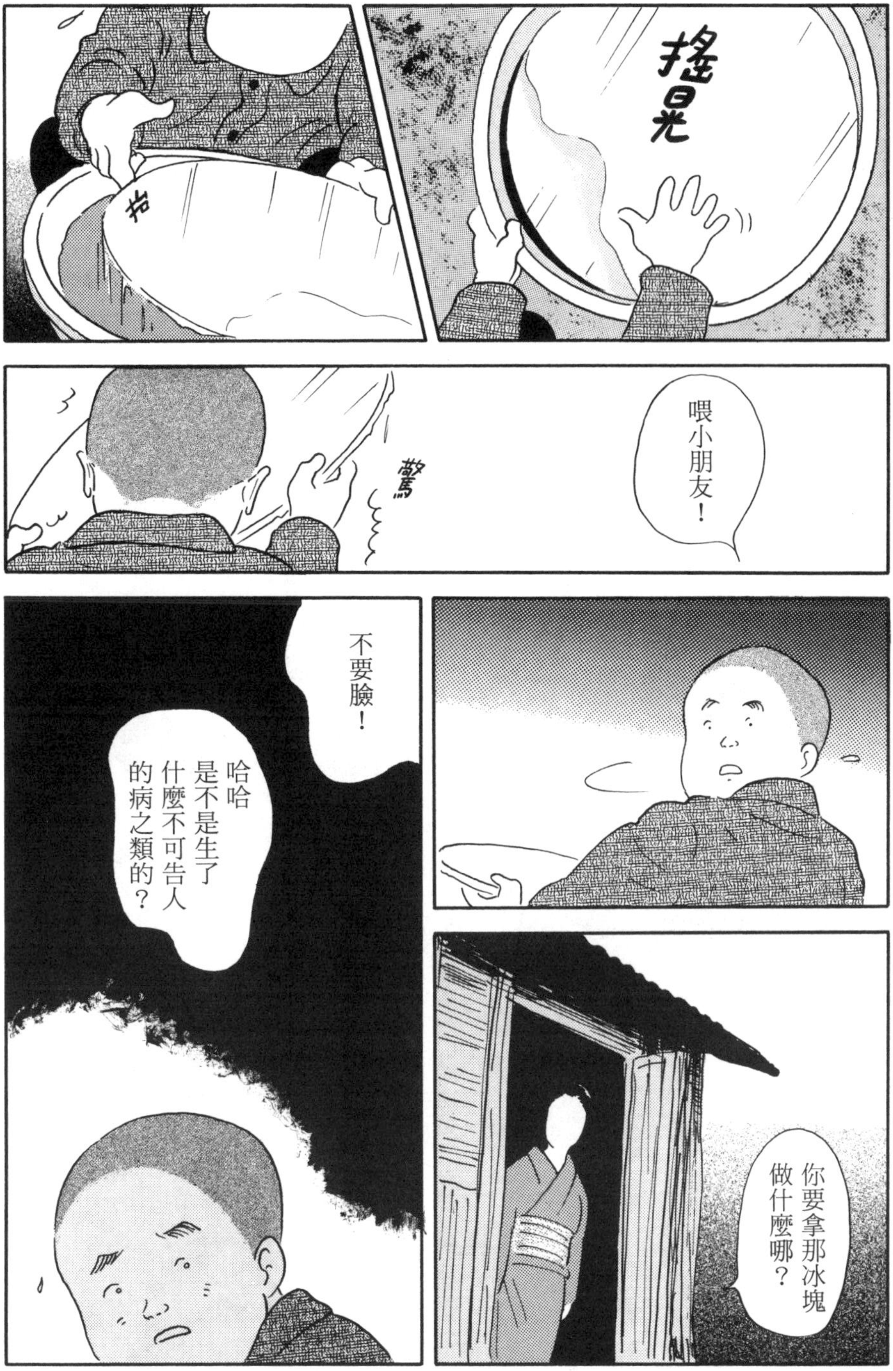

搖晃
抬
喂小朋友！
驚
你要拿那冰塊做什麼哪？
不要臉！
哈哈 是不是生了什麼不可告人的病之類的？

カタッ咔達
來試試看弄破它！
一鼓作氣抬得高高的！
再砰的一聲往下丟！
來你試試！

カシャーン
咔煞！
真好聽的聲音！
心情都暢快了

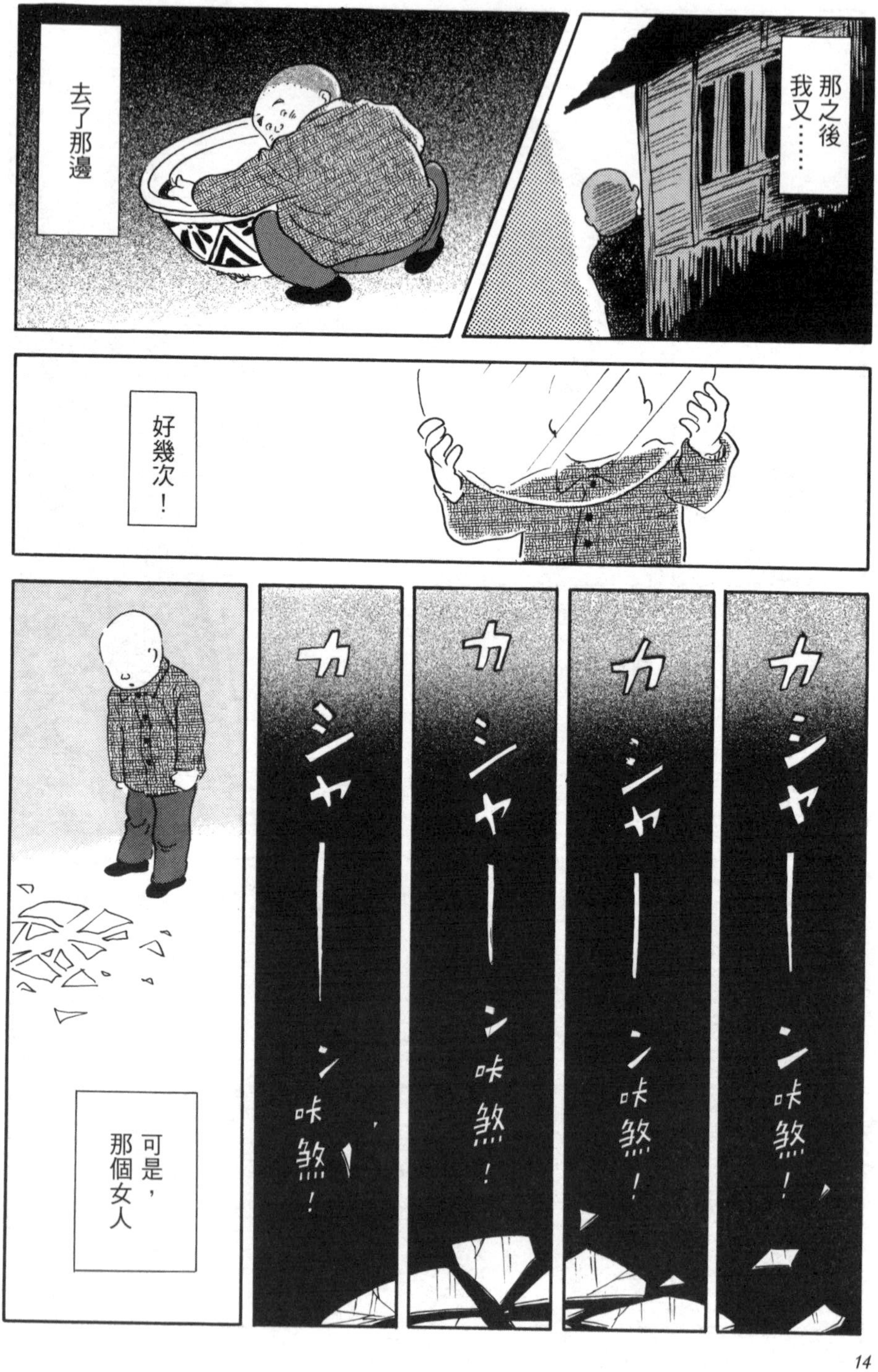
那之後
我又……
去了那邊
好幾次！
カシャーーン咔煞！
カシャーーン咔煞！
カシャーーン咔煞！
カシャーーン咔煞！
可是，
那個女人

再也沒有出現
過了不久
我就徹底忘掉
了這件事
對！
更大一點
我長大以後
也在別的地方
看過那個蓮花
缽……
女人早就從
鎮上消失了
……

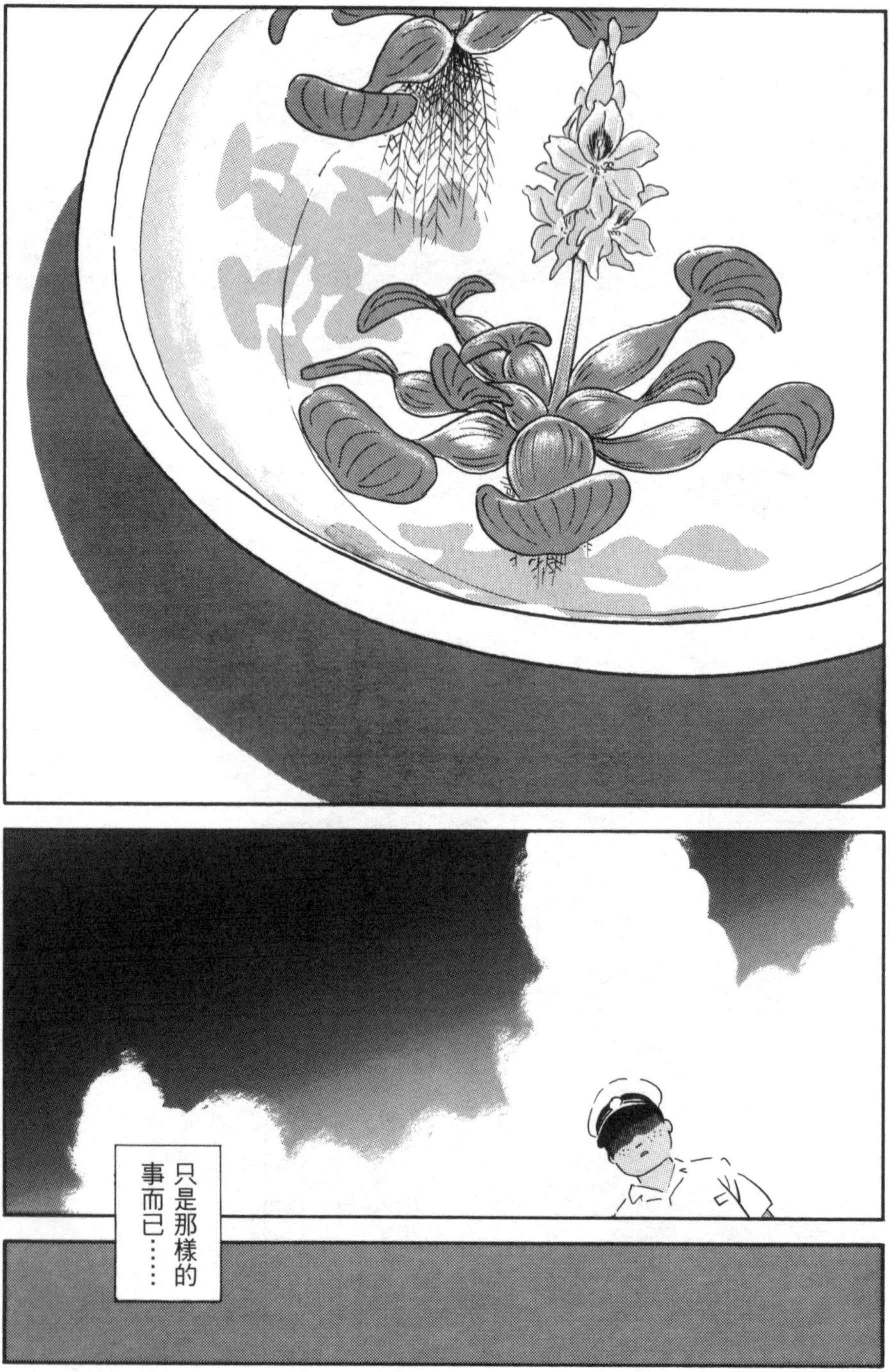
只是那樣的事而已……

搞什麼！天完全黑了啊！
冷死！
抖抖
ズザ
ジッジッ
咔煞——！
……
喔

劈嚓
啊！
冰塊，慢慢地移動到手碰不到的地方了

海岸的閃電

咻咻咻咻
ザザー
沙
長時間，屏住呼吸的海女
一浮到海面上就大口地呼吸
那個時候她們發出的咻咻～像笛子一樣的聲音就稱為海女的磯笛
怎麼樣？
能不能畫得很性感呢？
嗯嗯，這個嘛
我是自由接案工作的插畫家

旁邊這位河邊先生是自由接案的報導寫手
……
似乎專寫風化業做了10年
採訪的重點是在晚上
這邊就差不多隨便帶過就好了
啊 好的
可是真正的海女她們真的晚上有做藝妓的工作嗎
欸 那好像是真的
現在，海女的實況表演即將結束……
還有下一次表演開始時間是
不過呢
陪睡 就不知道是真的還是假的了
陪睡?!

不過就算是不行
我們就寫得差不多
煞有其事就好了
是廣告公司那邊來的工作啊
經常有喔
這個時期
總之
就是淡季觀光地區
招攬客人用的
廣編報導！
差不多就行了
差不多！
因為是第一次的插畫
報導工作
我很認真的……
又不是說她們
一定不幹啊！
好了嘛
別那麼沮喪
啊！
哈哈
不是，
我沒有！
那種……
那就、
要在哪裡坐
計程車？
我不是那個
意思……

晚安啊！
我是海女藝妓，叫做鮑魚！
唷 美人上場了！
哎呀！太會誇了！
這位是小蜆
那麼，我就在這裡……
明天早上邀請各位看真正的海女出海捕撈的狀況
雖然會有點早，我們會上來迎接
啊
謝謝 那就拜託了！

哇哈哈
又來了又來了！
喂！
這是海岸鮑魚的單相思呢！
哈哈哈
因為鮑魚這種生物一旦黏上了就絕對不會放開！
……
嘟、嘟！
我會追上去喔！追你追到東京灣！
只要稍微搖一下屁股，像那種地方啊，我們一口氣就可以游到了！
對吧，小蜆！
啊、
哈哈
哎呀
怎麼沒幫你倒酒！
不不，我

怎麼還在畫畫呢
工作那種事結束了啦！
喔喔！
停手吧停手！差不多就可以了啊！
欸……
那！
請用，來一杯吧！
不～好～意～思！
畢竟我們小蜆還不習慣在酒席陪客人啊
是處女呢酒席處女！
那個你呀要對人家溫柔點喔！
鄉下的老媽如果出來當藝妓
一定也是這種風格吧……

不能出海的時候就在這裡是嗎？
我會下田！
咦！
那麼，晚上在這裡工作？
工作太勤奮了！
在這附近啊
我們都說「連一個老公都養不起就沒有當老婆的價值了」！
嗄!!
我要不要搬到這附近呢！
可是相對的！
「老公」的條件很嚴格的哦！第一要帥身高要夠高還要有點可愛
我不及格了！
女人只要很會潛水
臉什麼的啦只要有就好了啦！
哈哈

沙
嘿嘿
瞅
好像也不是真的不行耶
咦？
沙
她老公好像欠了很多債的樣子
好像是要養老公的傢伙呢……真是了不得！
怎麼樣？我去幫你交涉一下？
……
我不要！
啊，我先說不是鮑魚姐是小蜆喔！
抖抖

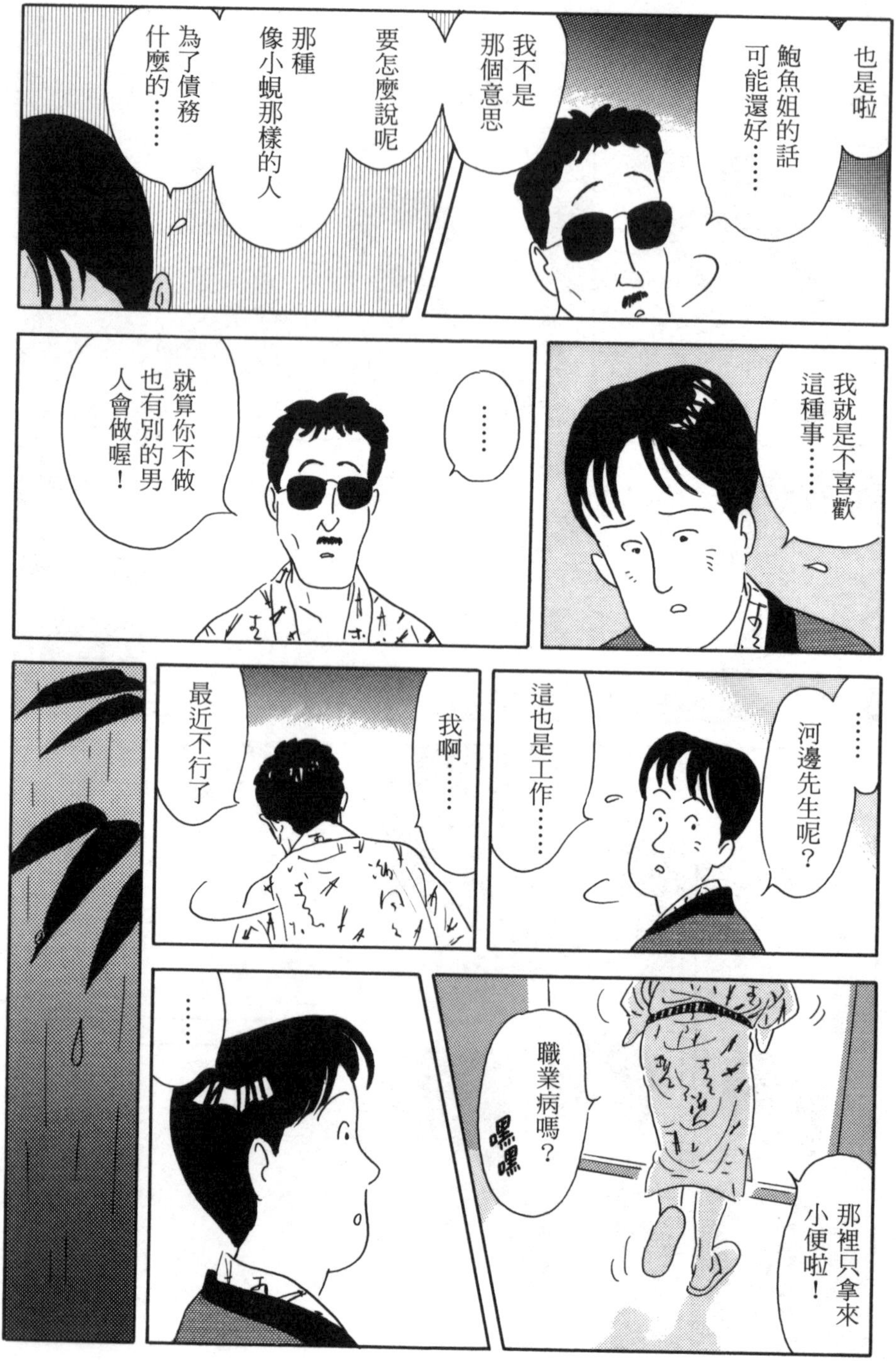
也是啦
鮑魚姐的話
可能還好……
我不是
那個意思
要怎麼說呢
那種
像小蜆那樣的人
為了債務
什麼的……
我就是不喜歡
這種事……
……
就算你不做
也有別的男
人會做喔！
……
河邊先生呢？
這也是工作……
我啊……
最近不行了
那裡只拿來
小便啦！
職業病嗎？
嘿嘿
……

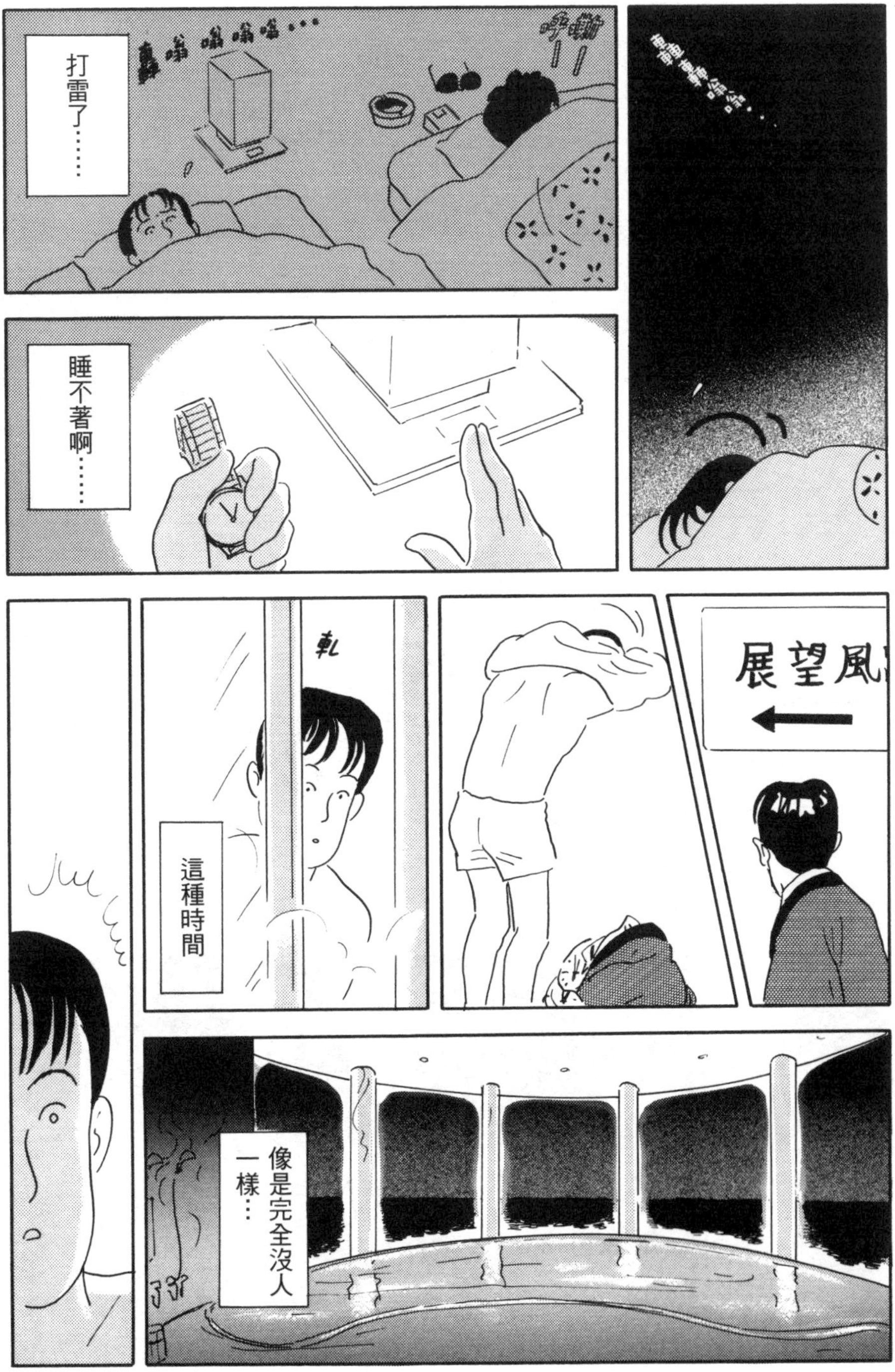
打雷了……
轟嗡嗡嗡嗡…
睡不著啊……
展望風
軋
這種時間
像是完全沒人一樣…

ザパッ
啪
咻嗚嗚嗚
！
咻
小蜆小姐？
……
你不做也會有別的男人會做喔！
ザバッ
啪！
啊！
可惡！

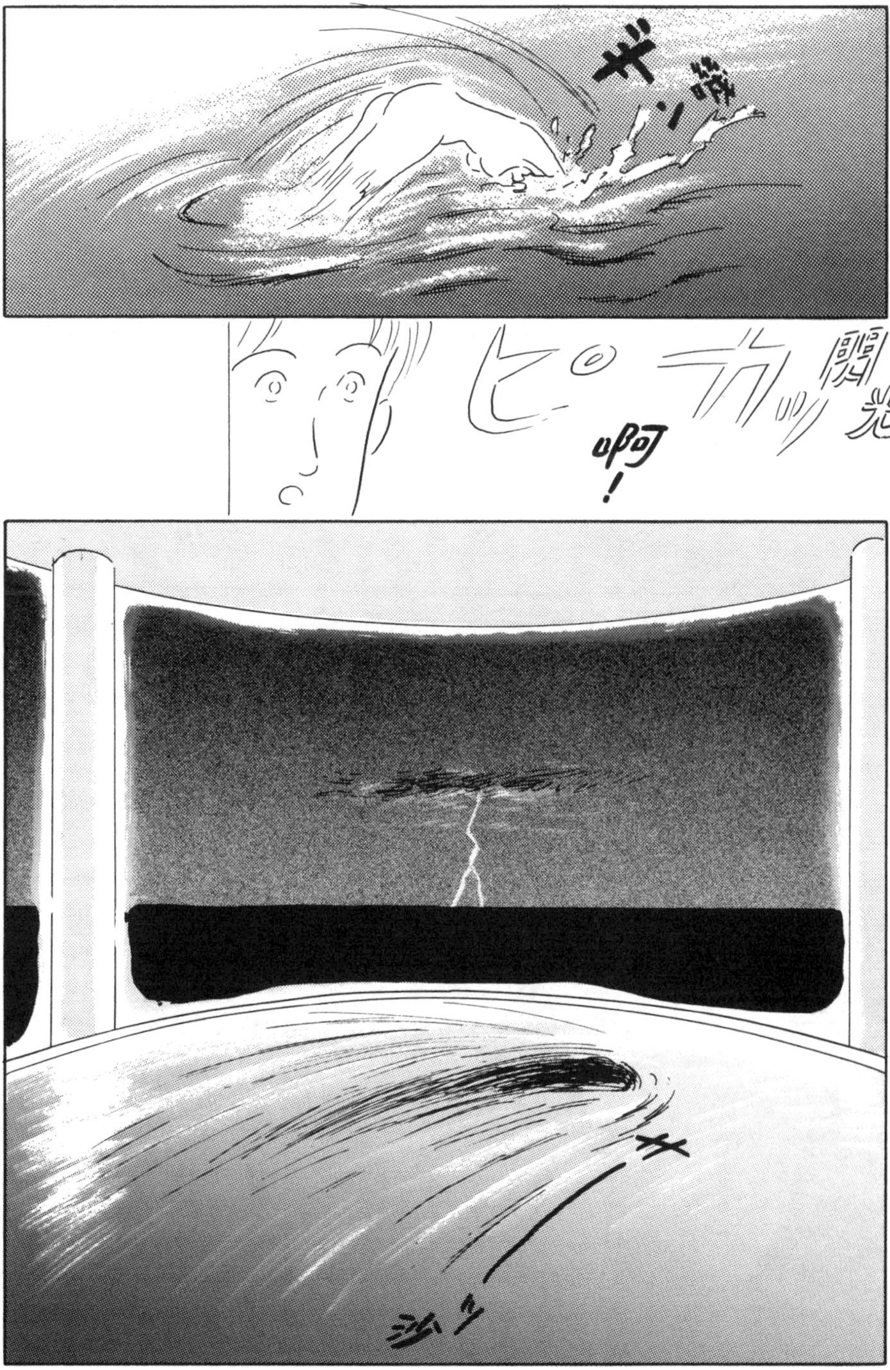
ザン
嘰
ピカッ
閃光
啊！
サ
沙

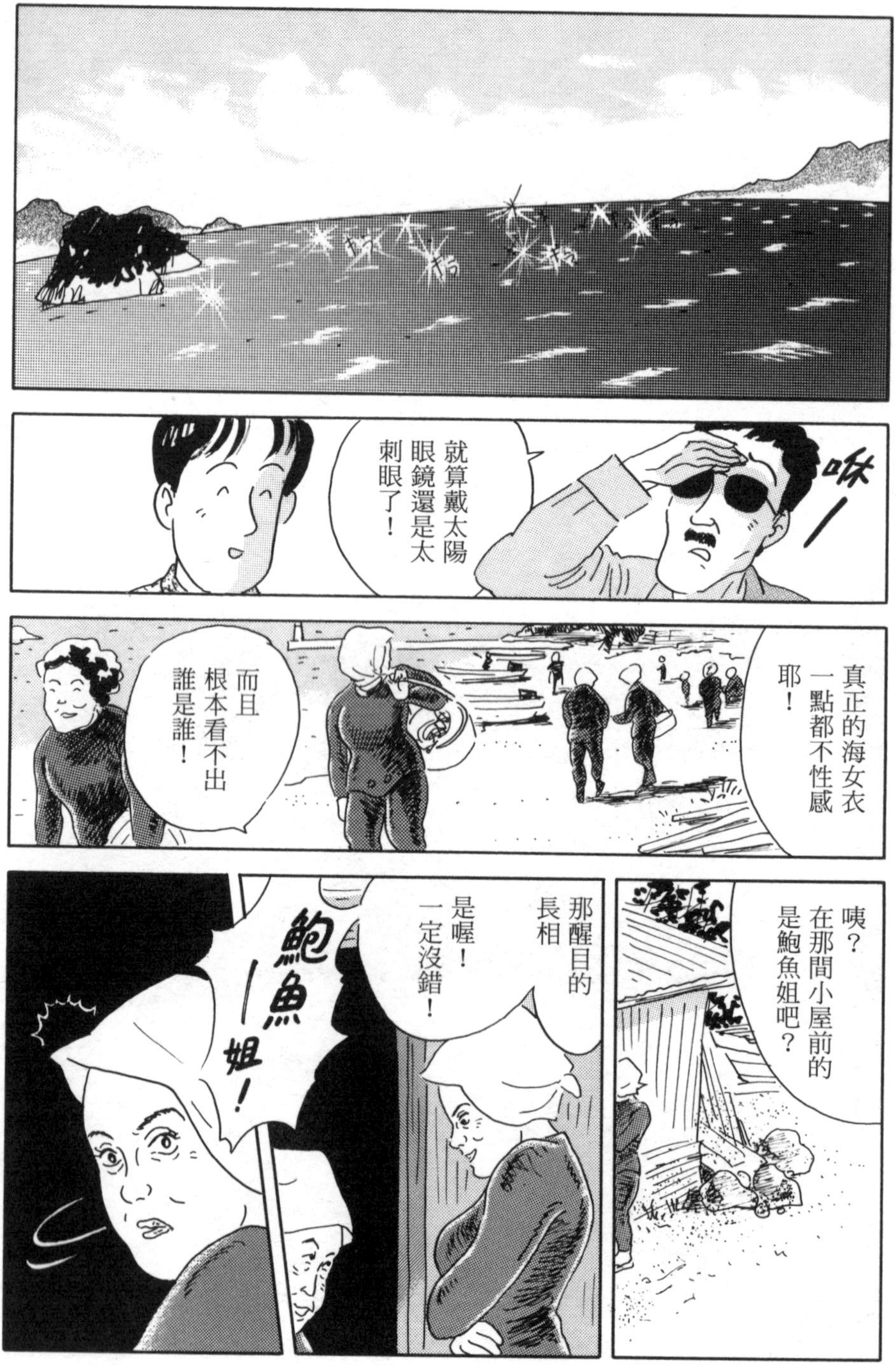
咻—
就算戴太陽眼鏡還是太刺眼了！
真正的海女衣一點都不性感耶！
而且根本看不出誰是誰！
咦？在那間小屋前的是鮑魚姐吧？
那醒目的長相
是喔！一定沒錯！
鮑魚姐！

閃
碰！
……
登登登登
啊，哈哈
最好不要接近
海女小屋喔！
連我們都會
被罵的！
而且
在那船上等著
的是海女的
丈夫們呢
在海岸
他們拉著老婆的
救命繩索啊！

啊呀、
大家都來到海岸了呢！
可惡!!
這天氣好到好像都要生病了！
哈哈
都不知道小蜆在哪裡了
什麼啊
タンタン
タンタンタンタン
蹬蹬蹬蹬
反正就在那些船的哪一艘裡面跟她丈夫在一起吧！

鸚鵡之神

雖然只進到選拔的第二關……
不過總之恭喜囉！
嗯
第三次投稿已經到了這裡呢
得獎的時候啊我們去更豪華的飯店之類我來請客
好期待啊
小淳如果成為暢銷漫畫家的話……
怎麼樣？
什麼都可以說說看啊！我什麼都送妳！
你可能會拋棄我呢像我這樣的姐姐
妳在說什麼啊！不可能好嗎！

我好像有點醉了，好舒服
我那時心想
那種事情
也不是不可能
啊
妳看看
那個！
啊哈！
好可愛呀！
飼料嗎？
看吧
很簡單喔！
可以喔
要買嗎

嘰嘰
ジャッ
滋滋
Happy！不要耍笨！
飛到那種地方很危險喔！
嘰嘰
我會把你一起炒來吃喔！
看 她回來了！
剛剛好
我剛準備好飯菜
清晨的時候，一下子死了兩個喔
為什麼患者都只在我值夜班的時候死掉呢
？
……

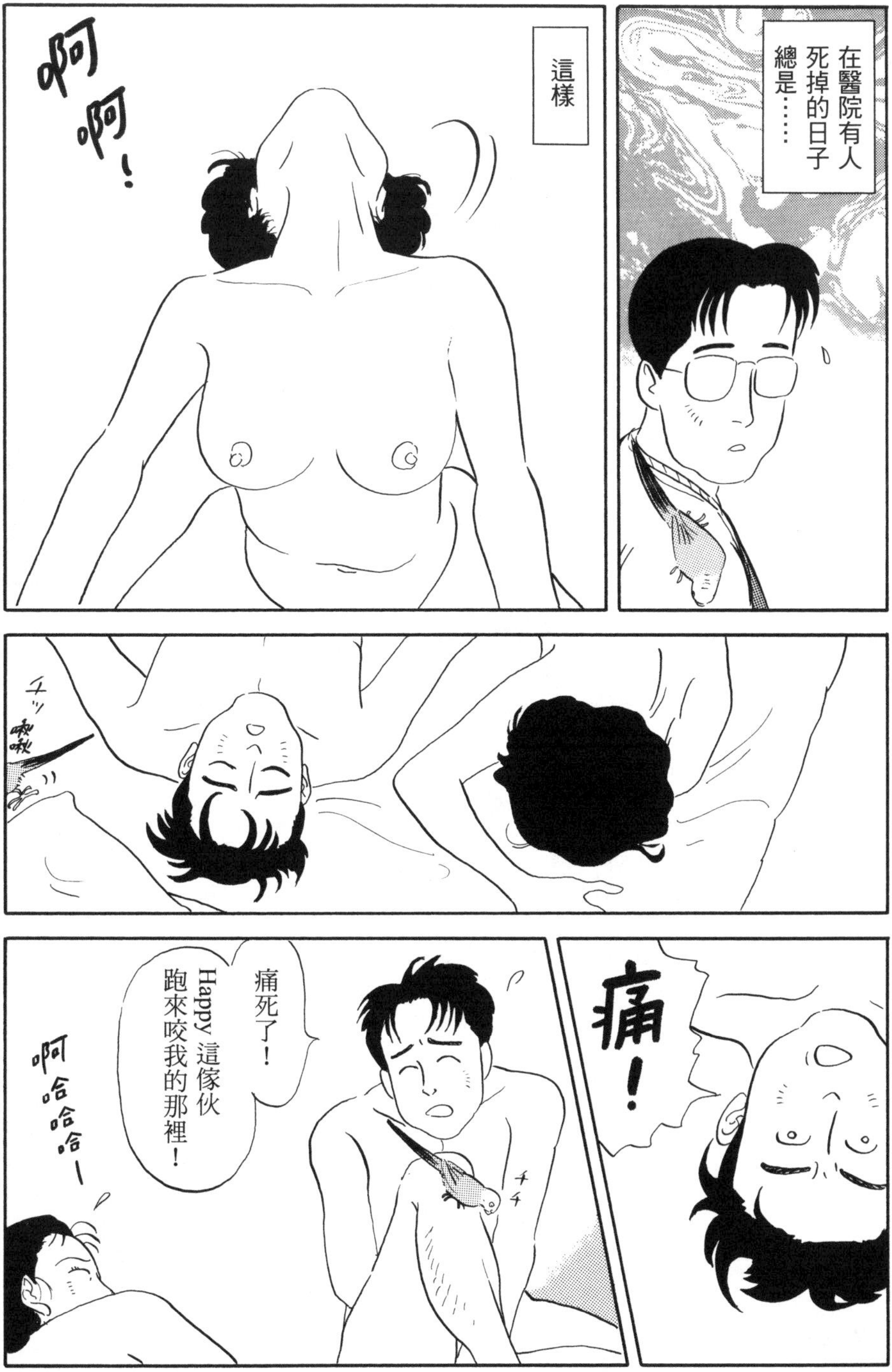
在醫院有人
死掉的日子
總是……
這樣
啊啊！
チッ
啾啾
痛！
痛死了！
Happy 這傢伙
跑來咬我的那裡！
チチ
啊哈哈哈—

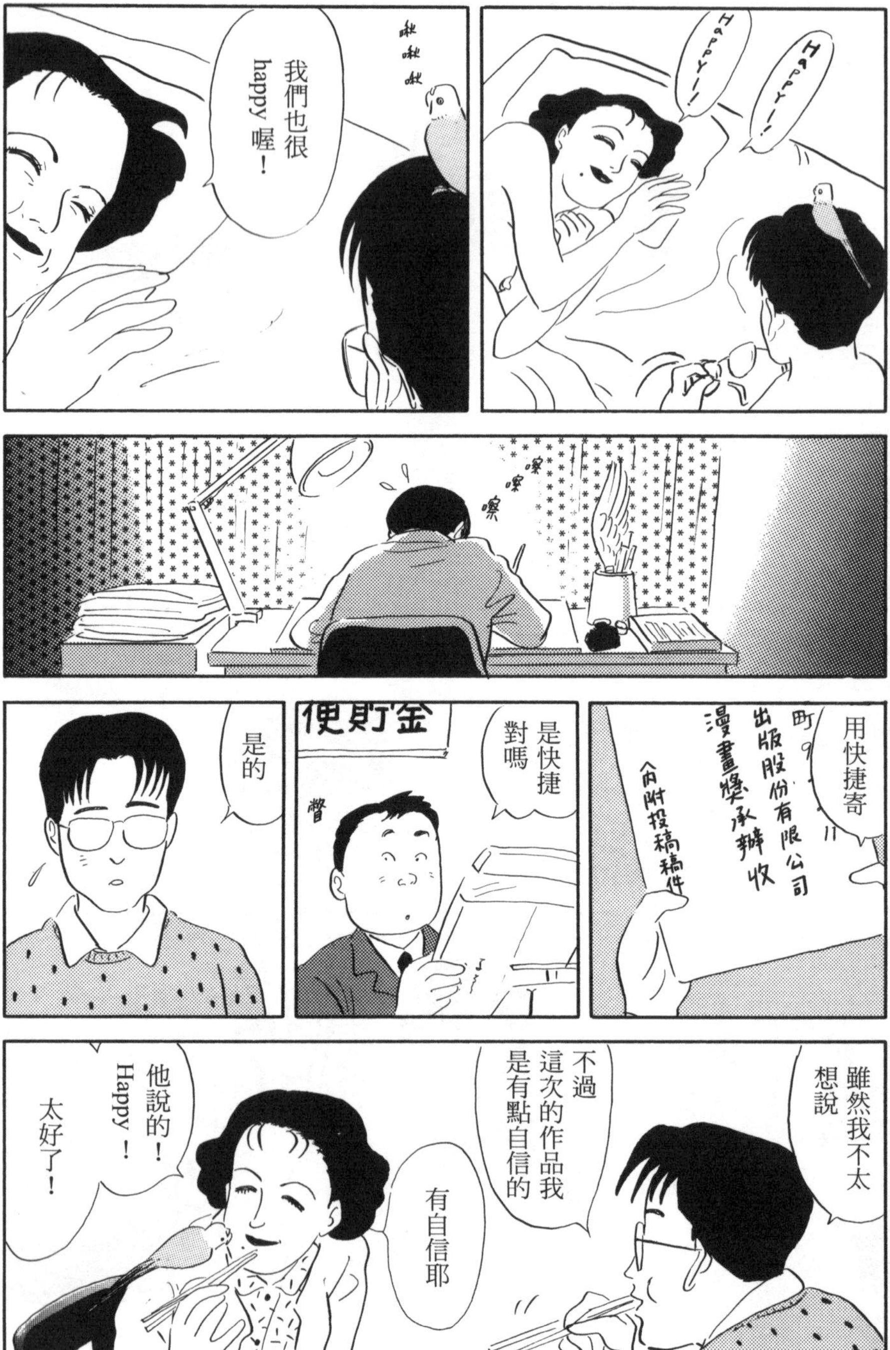
Happy—!
Happy—!
啾啾啾
我們也很happy喔！
嚓
嚓
嚓
用快捷寄
町9…11
出版股份有限公司
漫畫獎承辦收
內附投稿稿件
是快捷對嗎
便財金
瞥
是的
雖然我不太想說
不過這次的作品我是有點自信的
有自信耶
他說的！Happy！
太好了！

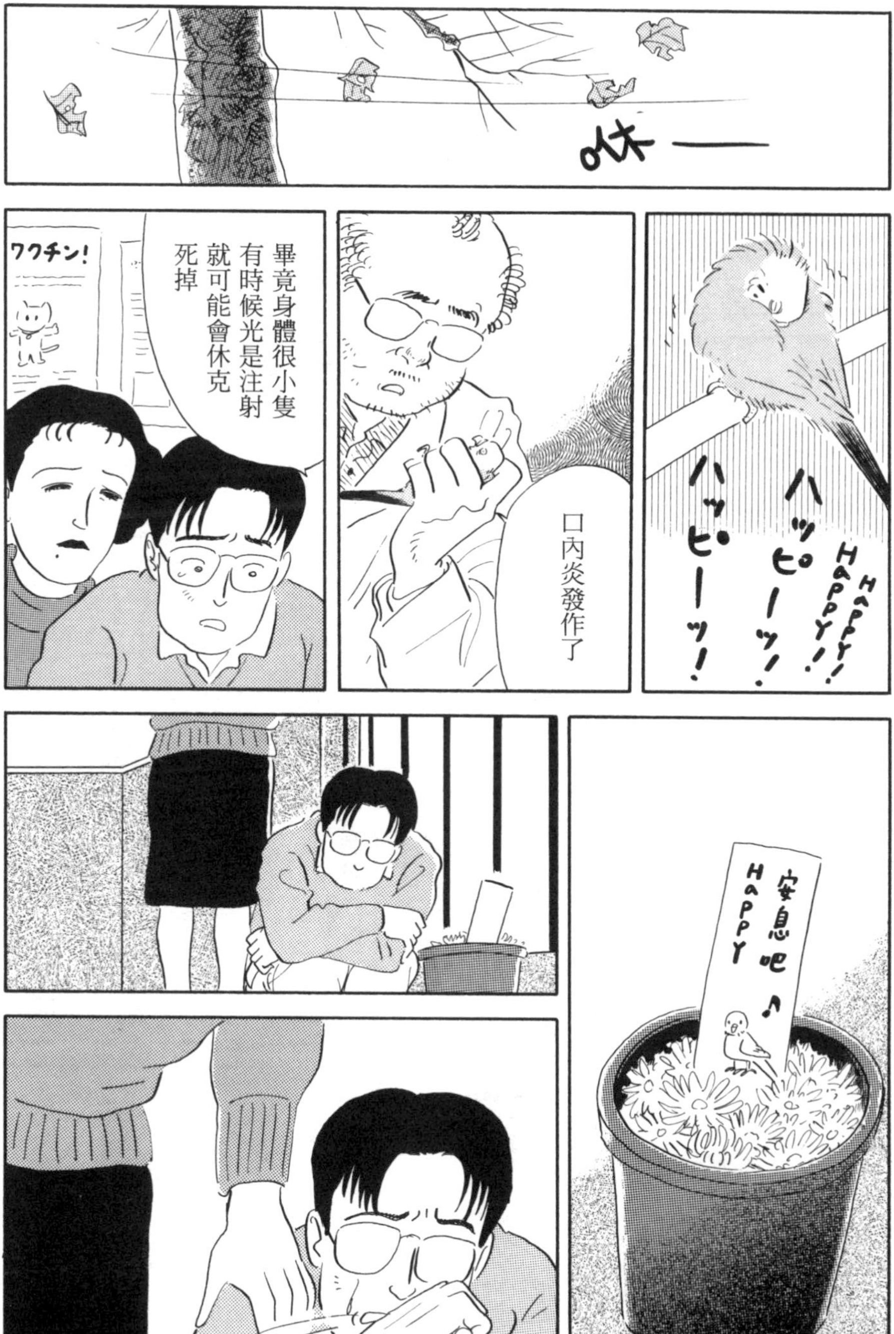

咻——
ハッピーッ！
HAPPY!!
ハッピーッ！
口內炎發作了
畢竟身體很小隻
有時候光是注射
就可能會休克
死掉
ワクチン！
安息吧♪
HAPPY

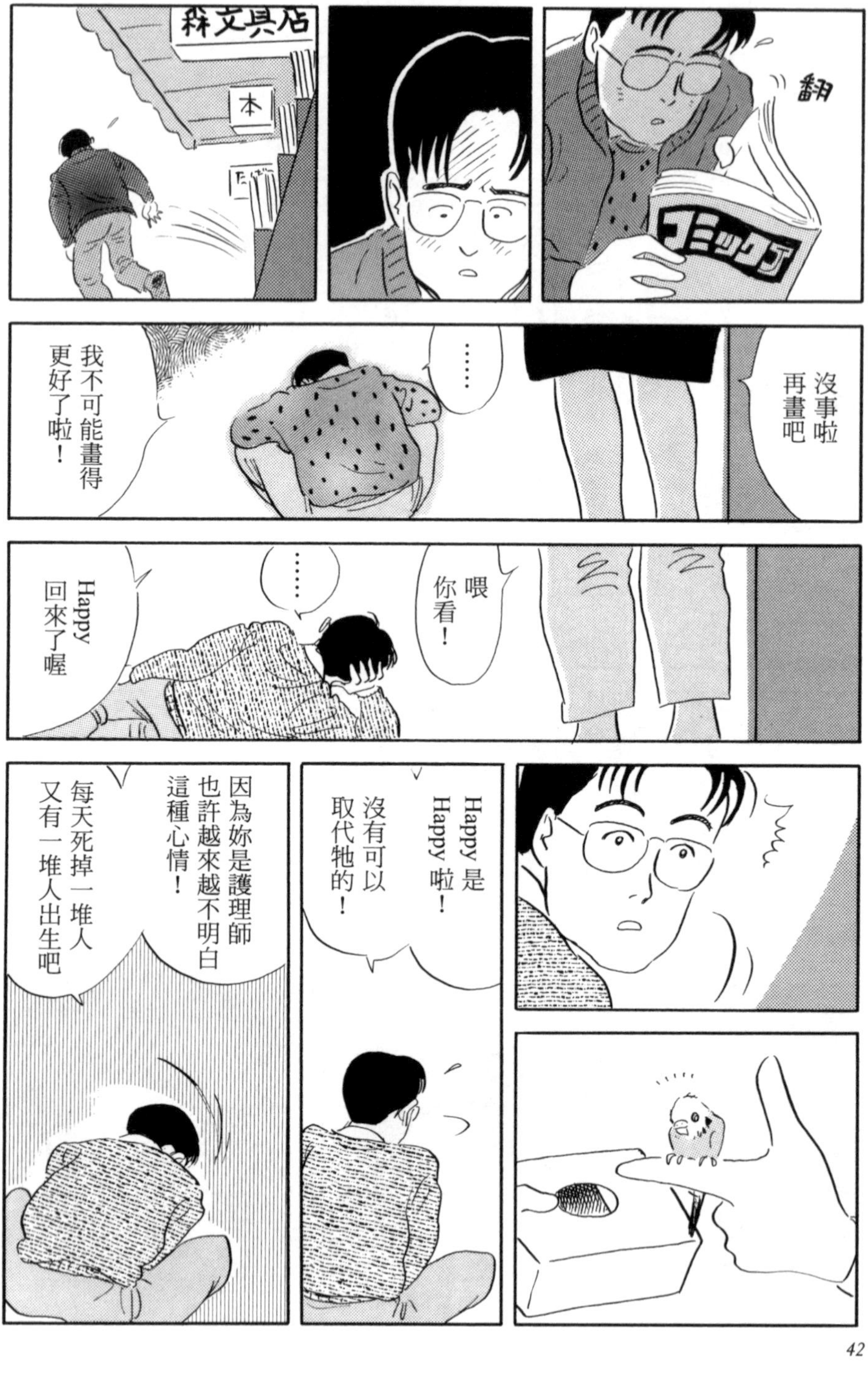
翻
森文具店
本
沒事啦 再畫吧
……
我不可能畫得更好了啦！
喂 你看！
……
Happy回來了喔
Happy是Happy啦！
沒有可以取代牠的！
因為妳是護理師 也許越來越不明白這種心情！
每天死掉一堆人 又有一堆人出生吧

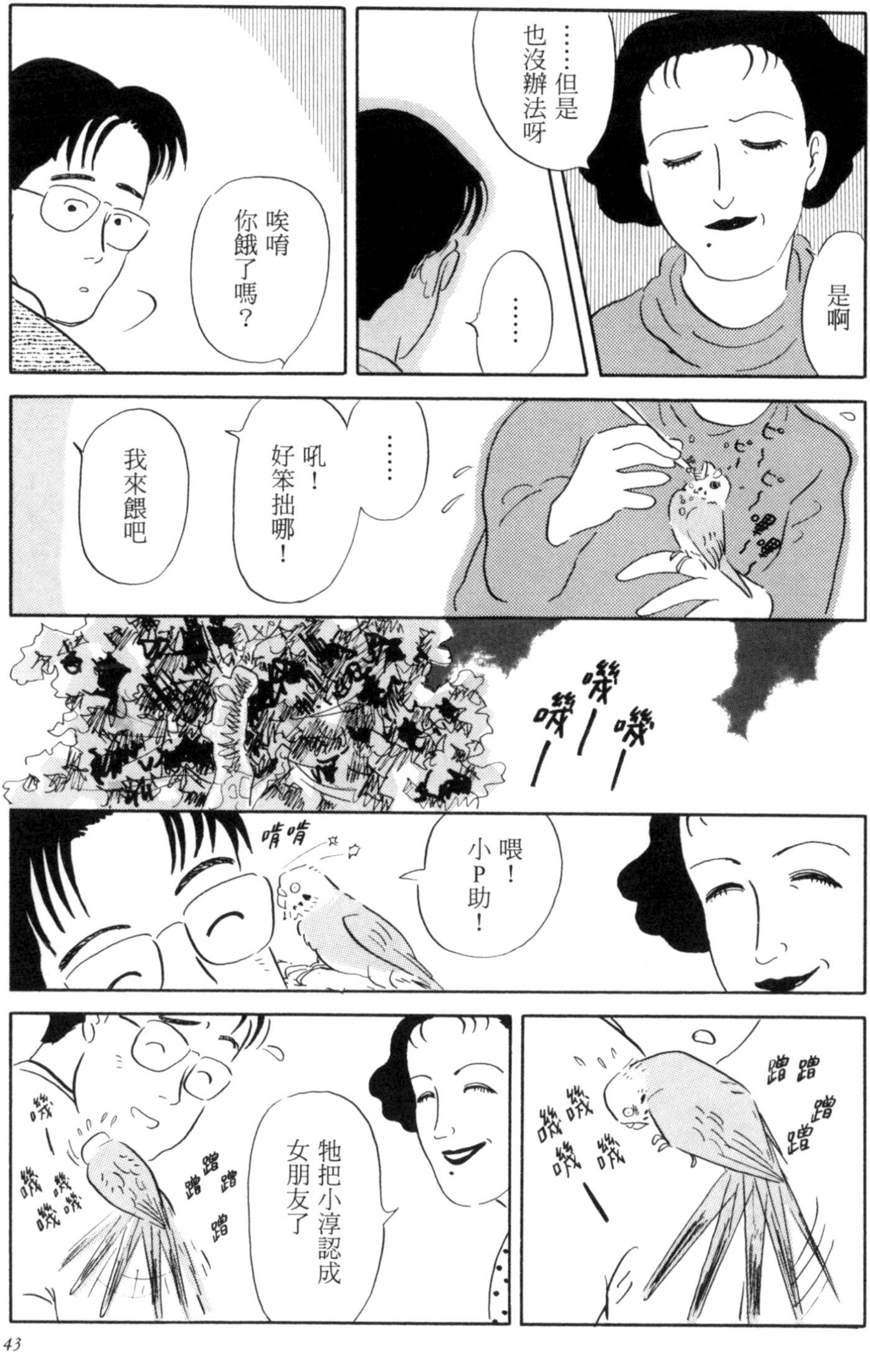
是啊
……但是 也沒辦法呀
……
唉唷 你餓了嗎？
……吼！好笨拙哪！
我來餵吧
嘰— 嘰— 嘰—
喂！小P助！
啃啃
蹭蹭 蹭蹭
嘰嘰 嘰嘰—
牠把小淳認成女朋友了
嘰— 嘰嘰 嘰嘰
蹭蹭 蹭 蹭

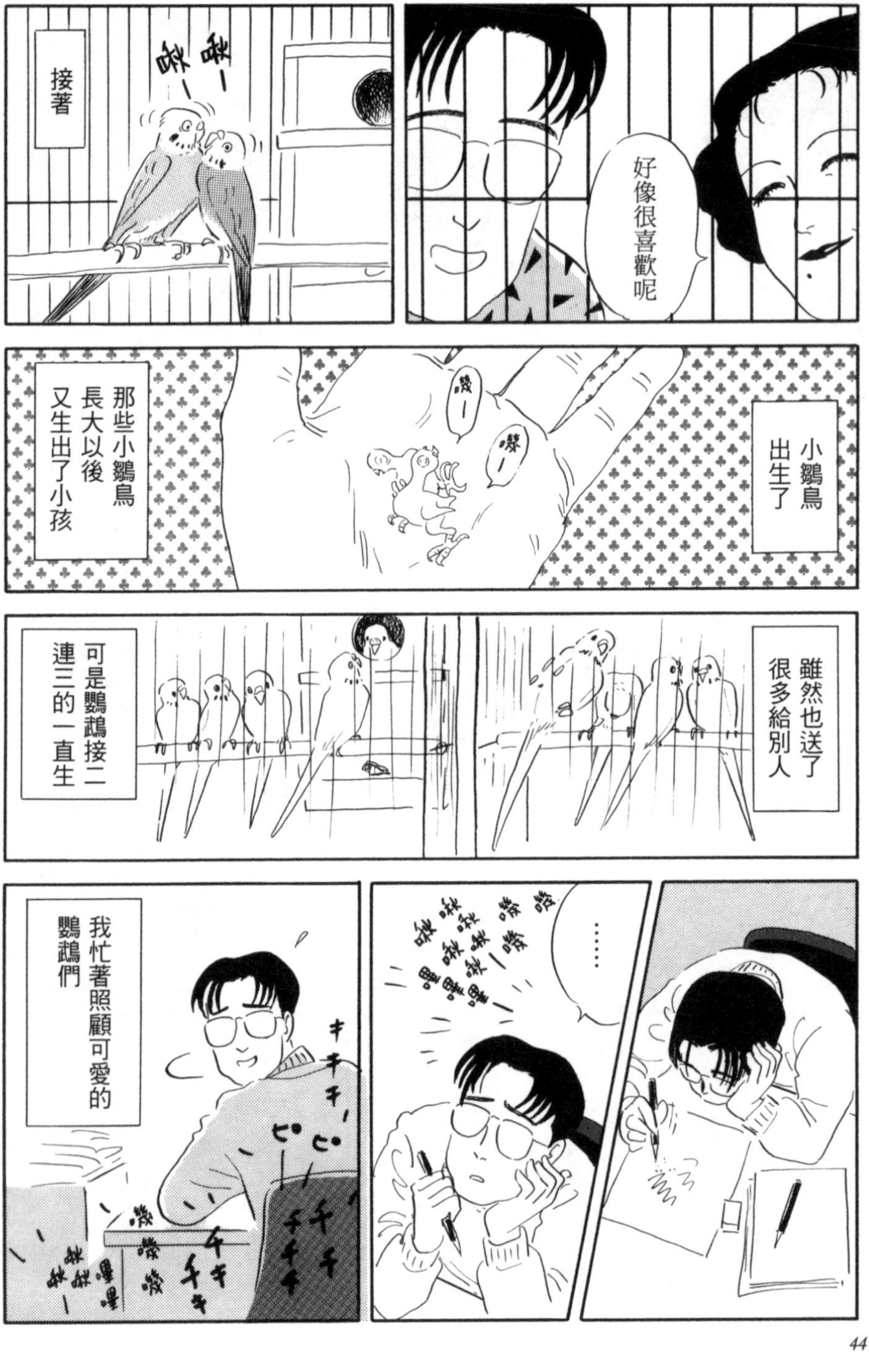
好像很喜歡呢
接著
啾— 啾—
小鸚鳥出生了
嘰— 嘰—
那些小鸚鳥長大以後又生出了小孩
雖然也送了很多給別人
可是鸚鵡接二連三的一直生
……
我忙著照顧可愛的鸚鵡們
ピ— ピ—
チチチ チチチ

幾乎都沒什麼時間畫漫畫了
チチチ
キキキ
チャッチャッ
ピルルル
ツツピー
不是這樣的
……
當時我是畫不出漫畫
呼—
所以才沉迷在鸚鵡的世界裡

我會察覺到這事是……
糟糕了！小淳！
有三隻鳥狀況看起來很差！
跟happy的時候一樣！
得趕快帶去醫院！
而且可能會傳染！
明明有這麼多隻？
哈哈
根本不能養那麼多隻吧！
我已經一點都不愛鸚鵡了

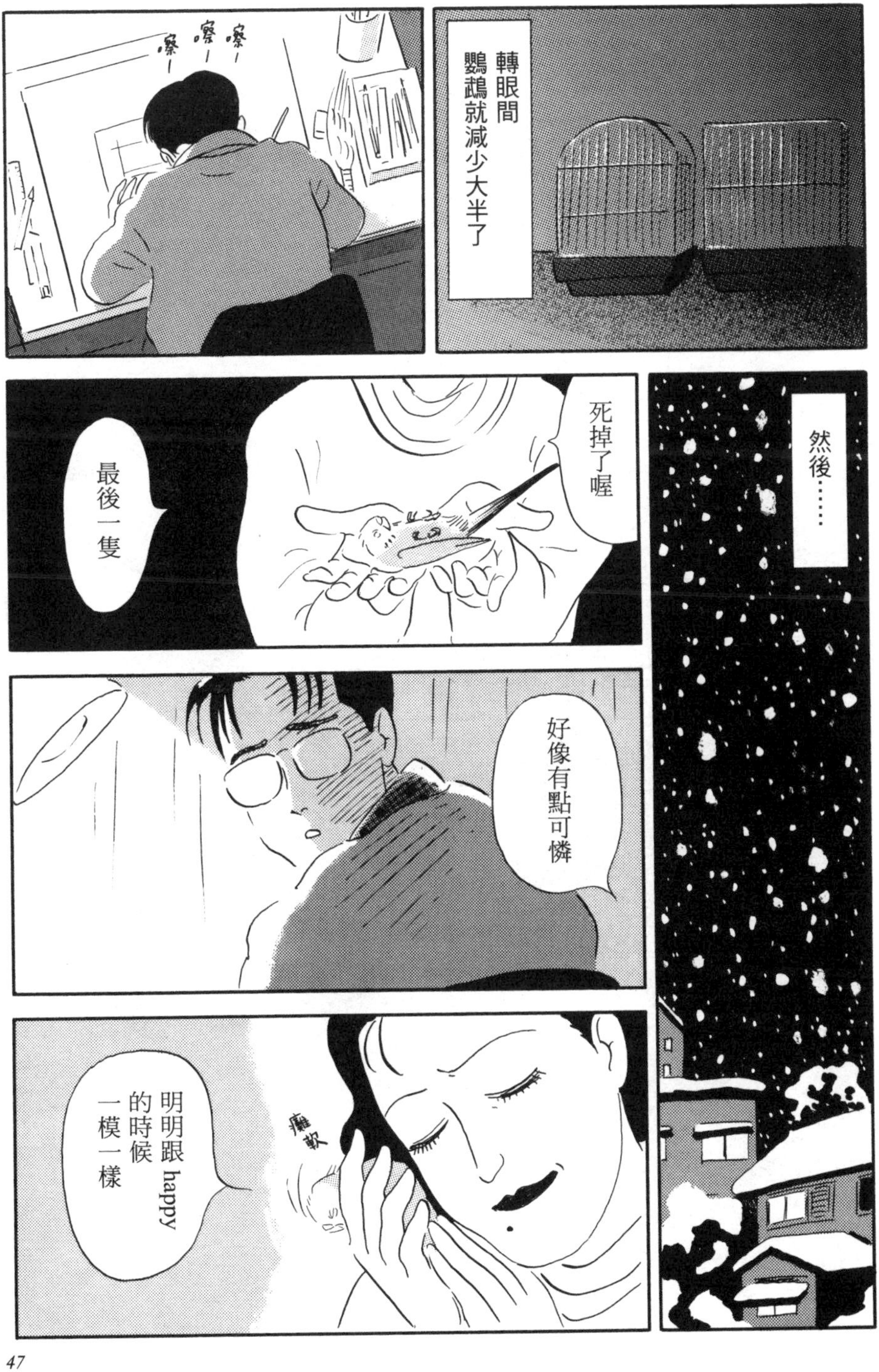
轉眼間
鸚鵡就減少大半了
嚓 嚓 嚓
然後……
死掉了喔
最後一隻
好像有點可憐
明明跟happy
的時候
一模一樣
癱軟

?
小淳你啊對鸚鵡來說就像是神明一樣的存在呢
喜歡的時候就很愛
但是一厭煩就到此為止了！
哪有！
神明的話會更慈悲的啊
啊哈哈
神明啊是很反覆無常的
待在醫院就會明白的
好人不一定會得救
壞人也不會受苦
……

有沒有才能那種事也只是神明的任性喔……
所以啊，有人說護理師至少跟所有患者都要保持相同的距離
我被這樣說過喔
……
可是那種事
是不是一直都有點太勉強了？
是啊
所以，我一定需要小淳呀

用快捷
出版股份公司
漫畫獎承辦收
內附投稿稿件
用快捷
對嗎
人年金
是的
所以
我也需要你
像我這種人
也陪著神明的反覆
無常玩了很久
所以，今天
她回家以後
我要這樣說
這次投稿
失敗的話
我準備好好地
找工作就業
就算是失敗也好
即使沒失敗
妳願意跟我
結婚嗎？

買了狗罐頭就回家吧

喔！
叩
不好意思
窸窸窣窣
車轉
プァー
小可憐哪 如果不是附近超市的罐罐 好像就還是不合口味！
我很擔心 想說你是不是忘記了
我已經買了 午休的時候 在百貨公司買的
真的，這小孩太奢侈了 是需要照顧的孩子！
啾！啾！
我很忙 掛掉囉
咔嚓！
汪汪汪
小可憐嗎！
狗比我還重要啊……
喔！

你看看綁著緞帶喔!
汪 汪
可憐!
好、算了啦!
那樣的老婆以前……
真的嗎?!
你真的願意跟我結婚嗎!!
嗯
結婚、生小孩…工作，過著理所當然的生活!
理所當然的生活……哪……
打盹
躂ー
鏗——鏗
啊!
…要換線換車!
要換線換車

啊！
出站了
狗罐頭嗎？
車站的另一側有寵物店哦！
要進去那個攤販區路可能會有點難懂呢
這是什麼啦
咻
抖
ヌクヌク
暖呼呼

クルッ轉身
嗯？
……
……
小料理
しの
咔啦！
歡迎光臨
啊呀這不是原田先生嗎？
你那邊要點什麼呢？
外面很冷吧！來杯熱酒怎樣？
啊，不用我要啤酒！

1 指的是二次大戰後1947年到1949年之間出生的人，也稱為戰後第一次嬰兒潮。

2 「全學共鬥會議」的簡稱，是1968～1969年左翼學生在各大學組織的罷課武力鬥爭活動

他說那果然還是……
就算只有一點點我想讓這個世界變得更好……
欸！
啊—哈哈哇哈哈
哈哈
哦受不了！
真是聽不下去！
哇哈哈哈哈哈哈
哈哈
該走人了吧……
咕咚
那邊的小姐們！
能不能請你們稍微安靜一點啊？
我這邊的耳朵有點不好，好像你們的聲音迴盪在我的腦袋裡
因為啊，這個是我以前去抗議的時候被毆打留下的後遺症
安—靜
他們窸窸窣窣輕聲細語一陣子……
我們吃飽了！
咔啦啦
謝謝惠顧！

對不起呀媽媽桑，我把客人趕走了
沒事啦！
呵呵
其實啊我初戀的人也是拿著木棍去抗議的左翼分子
真是暢快啊！
咦！！
第一次聽到！
原田先生才是呢，我第一次聽到喔！
啊！
那個，是我朋友的事啦
啊啊！
ふう呵！
可是說起來還是很懷念呢那時候的事情！
那時候啊……
還是回去吧
說起那時候的事，我真的不太行……
一說起來啊
說起來好像不知道為什麼聽起來就像是在說謊一樣
對！就是這種感覺
其實啊！年輕人會笑我想也不是沒道理的
哈哈
ふ呵

可是啊
好想聽媽媽桑
初戀的故事呢
喂！
您這邊
要不要再來
一瓶啤酒呢？
啊！
是喔
我還在想
是不是該回家
了呢
可是
又好像可以
聽到美女
有趣的故事
啊呀！
再給我
一瓶吧！
媽媽桑！
為了銷售
額！
要老老實實地
說破處的事情
跟經過！
唉喲！
那可是清
純少女的
戀情哦！
哈哈
不記得喝了
多少了……
不過，媽媽
桑說的故事
還記得一些
以前在四谷見附的
喫茶店工作
住在四丁目
在新宿的邊邊

對方是常常來店裡的學生
啊，總是有一些固定的套式……
有一天他邀她去上街抗議
可是，我明天是白天班…又不能…請假…
那就是戀情的最後了！
他後來也不來喫茶店了……
是被抓了嗎？
那天的抗議活動好像很盛大
我記得很~清楚
晚上在公寓裡……
哈哈，房東是寺廟的人，附近都是墓碑
隔著馬路就是愛情賓館！
從牆壁旁邊的水溝會跑出蒸氣……
因為一到晚上總是刷刷地流出浴室的熱水

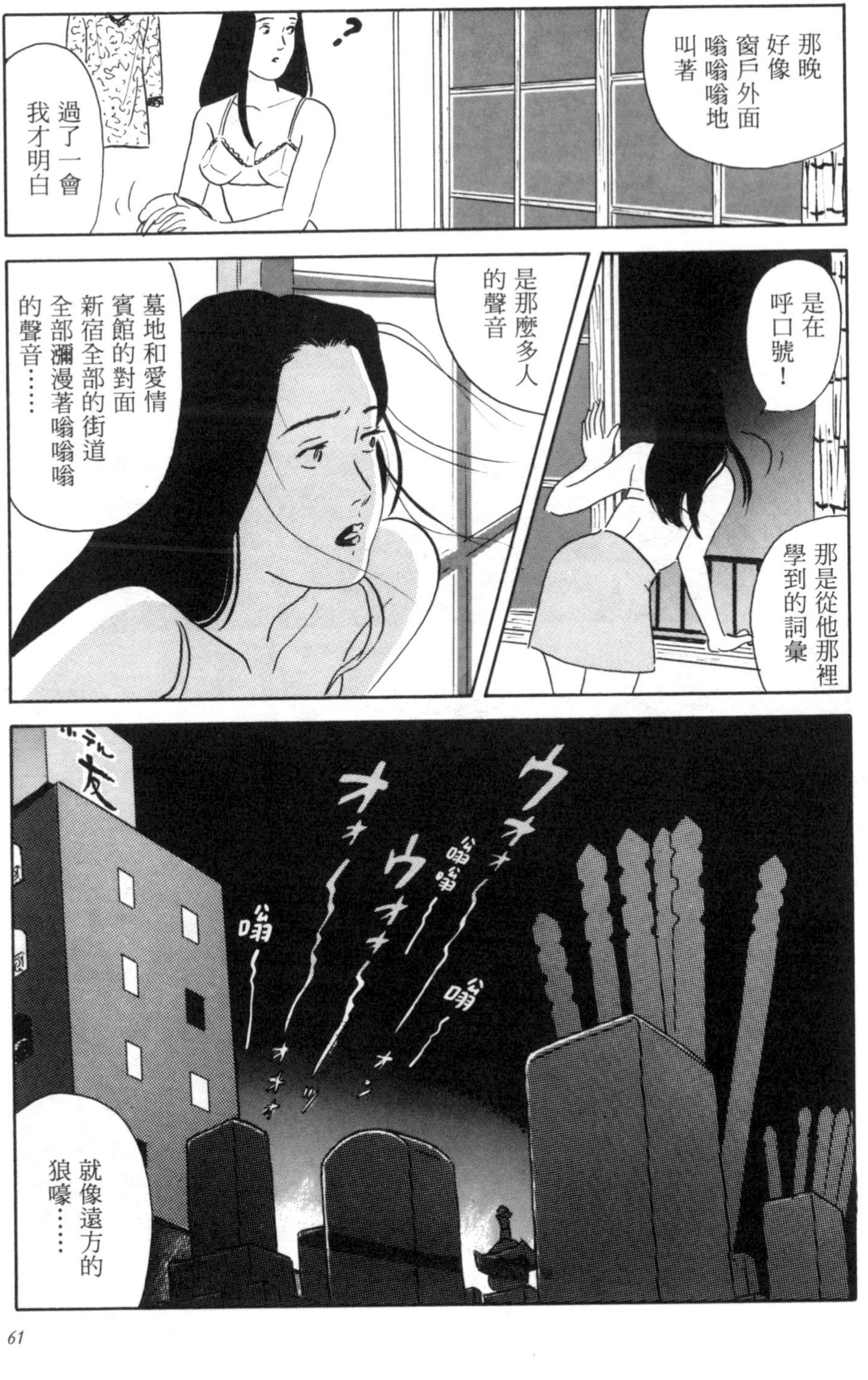
那晚好像窗戶外面嗡嗡嗡地叫著
?
過了一會我才明白
是在呼口號!
那是從他那裡學到的詞彙
是那麼多人的聲音
墓地和愛情賓館的對面新宿全部的街道全部瀰漫著嗡嗡嗡的聲音……
就像遠方的狼嚎……

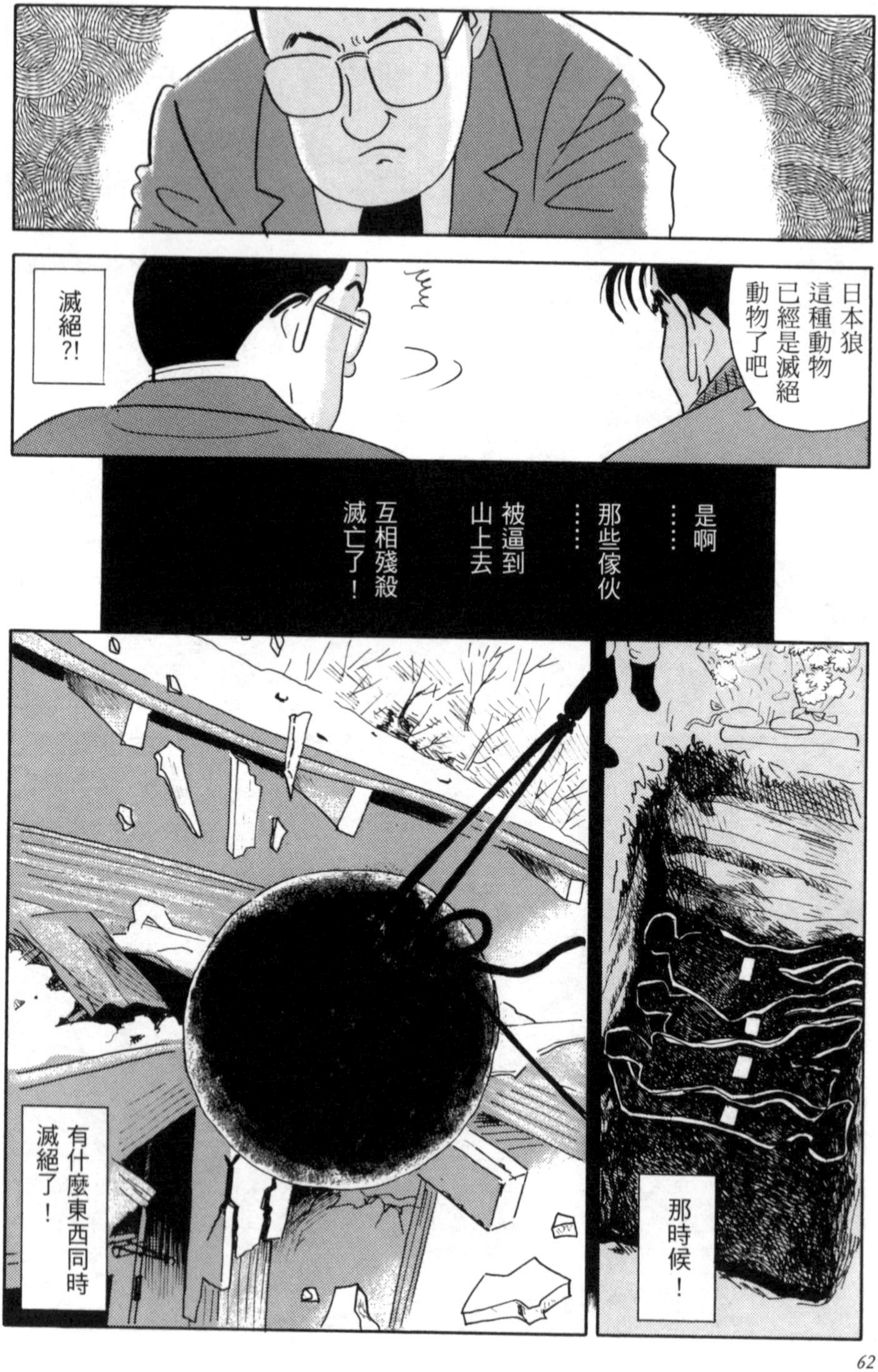
日本狼這種動物已經是滅絕動物了吧
滅絕?!
是啊……
那些傢伙……
被逼到山上去
互相殘殺滅亡了！
那時候！
有什麼東西同時滅絕了！

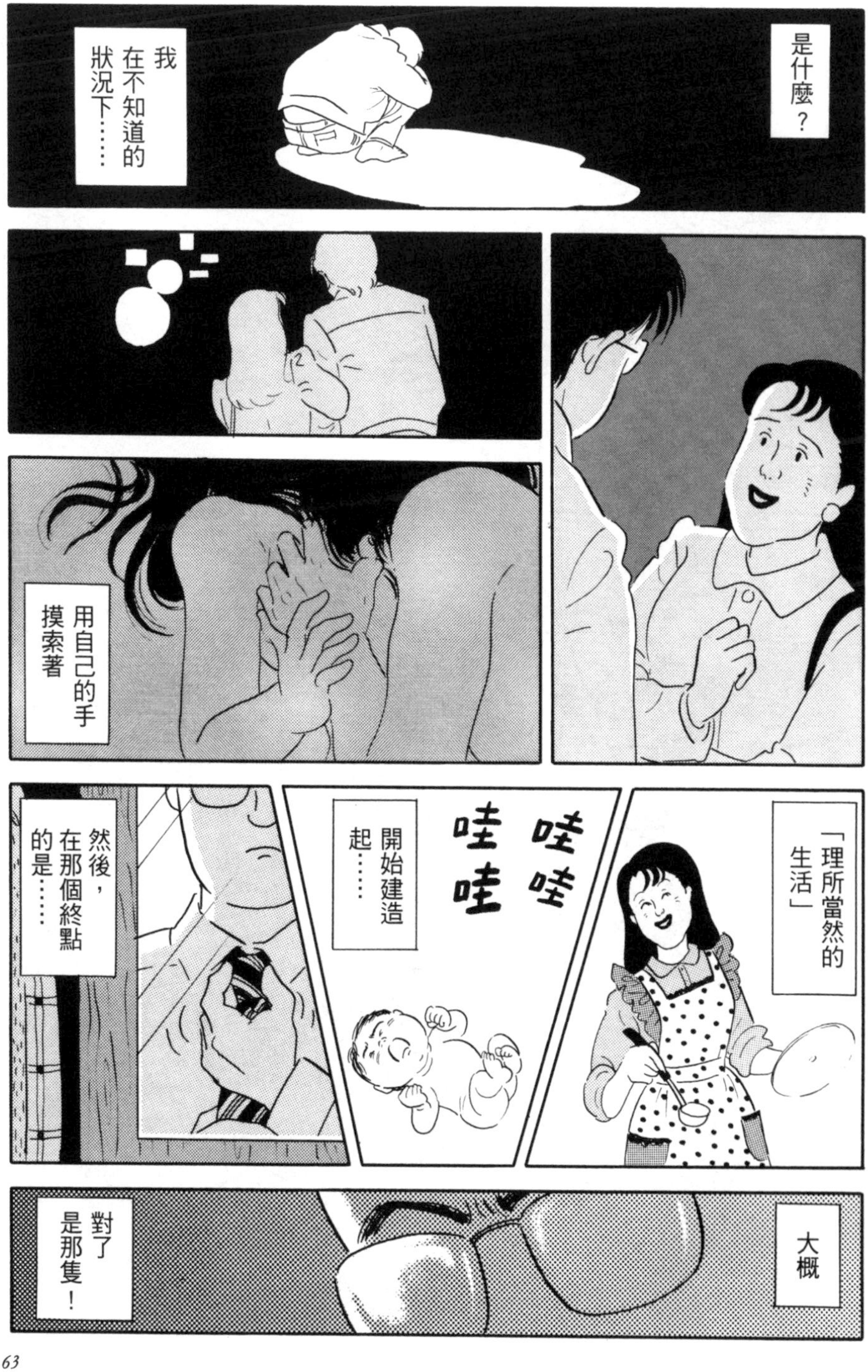

是什麼？
我在不知道的狀況下……
用自己的手摸索著
「理所當然的生活」
開始建造起……
哇哇哇哇
然後，在那個終點的是……
大概
對了是那隻！

綁著蝴蝶結的狗啊!!
啊哈—!
啊——哈哈哈
我醉了
是啊是啊!
狼滅絕了!
哈—!
他也喝醉了
現在啊大家都是綁著蝴蝶結的狗!!
啊—哈哈
咚!
為那些滅亡的事物!
嗚~~
獻上我們熾熱連結的致意吧!!

嗡嗡嗡嗡
嗡嗡嗡嗡
我記得的就到這裡為止了
只是喝醉酒的腦袋裡我好像不斷地在想著什麼
那時候真正消滅的到底是什麼?!
ウオオ
嗡嗡
不是我們也不是山上的那些傢伙……
是什麼……?
什麼……
嗡 嗡 嗡
汪汪汪汪
蛤
你這人啊實在受不了!
你是要餓死小可憐嗎?!
痛死了!
痛痛痛痛

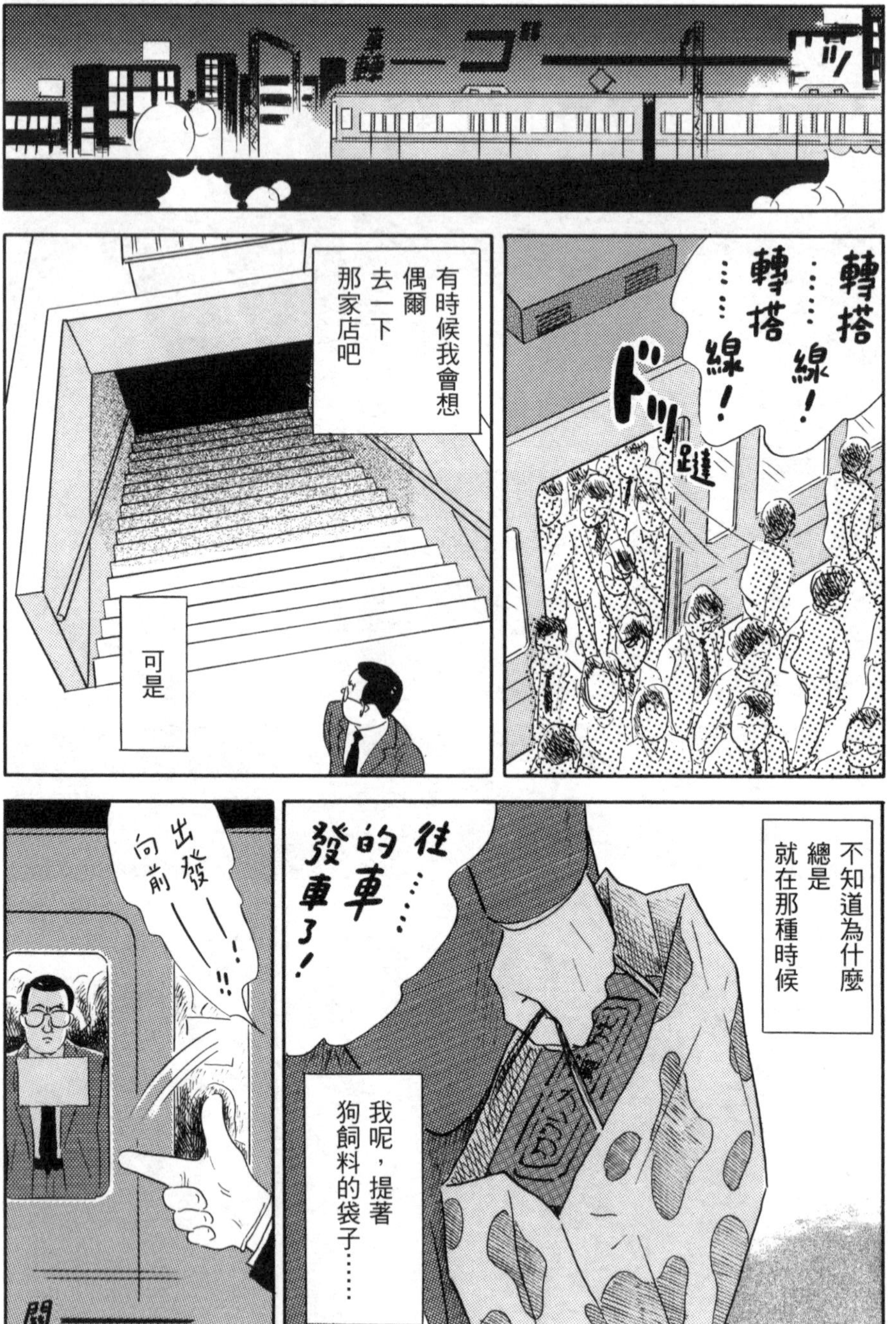
ゴーーッ
轉搭……線！
轉搭……線！
ドッ
有時候我會想偶爾去一下那家店吧
可是
不知道為什麼總是就在那種時候
往……的車發車了！
我呢，提著狗飼料的袋子……
出發向前──!!

倒數計時

5
……
……那 你工作 還順利嗎？
蛤？
嗯嗯 還好 算過得去
你那個寫字工作 那種東西，我是 不懂的啦 所以是要 戴那種 黑色眼鏡 之類的 工作嗎
啊 這個
是外出時的 習慣啦，不 小心就……
不是 在醫院前面 我有發現 不過啊 一拿掉，就不太 看得見，因為這有 度數的啦
哈哈
……

算了！你就照你平常的樣子來就可以了啦
又不是那種生死關頭的情況
要說就是在醫院靜養一陣子而已
哈哈
嗯，就是那回事嘛
哈哈
……
……
咳！
……
怎樣？最近店裡還好嗎？
完全沒客人啊！
聽說正夫很拚命地在做啊

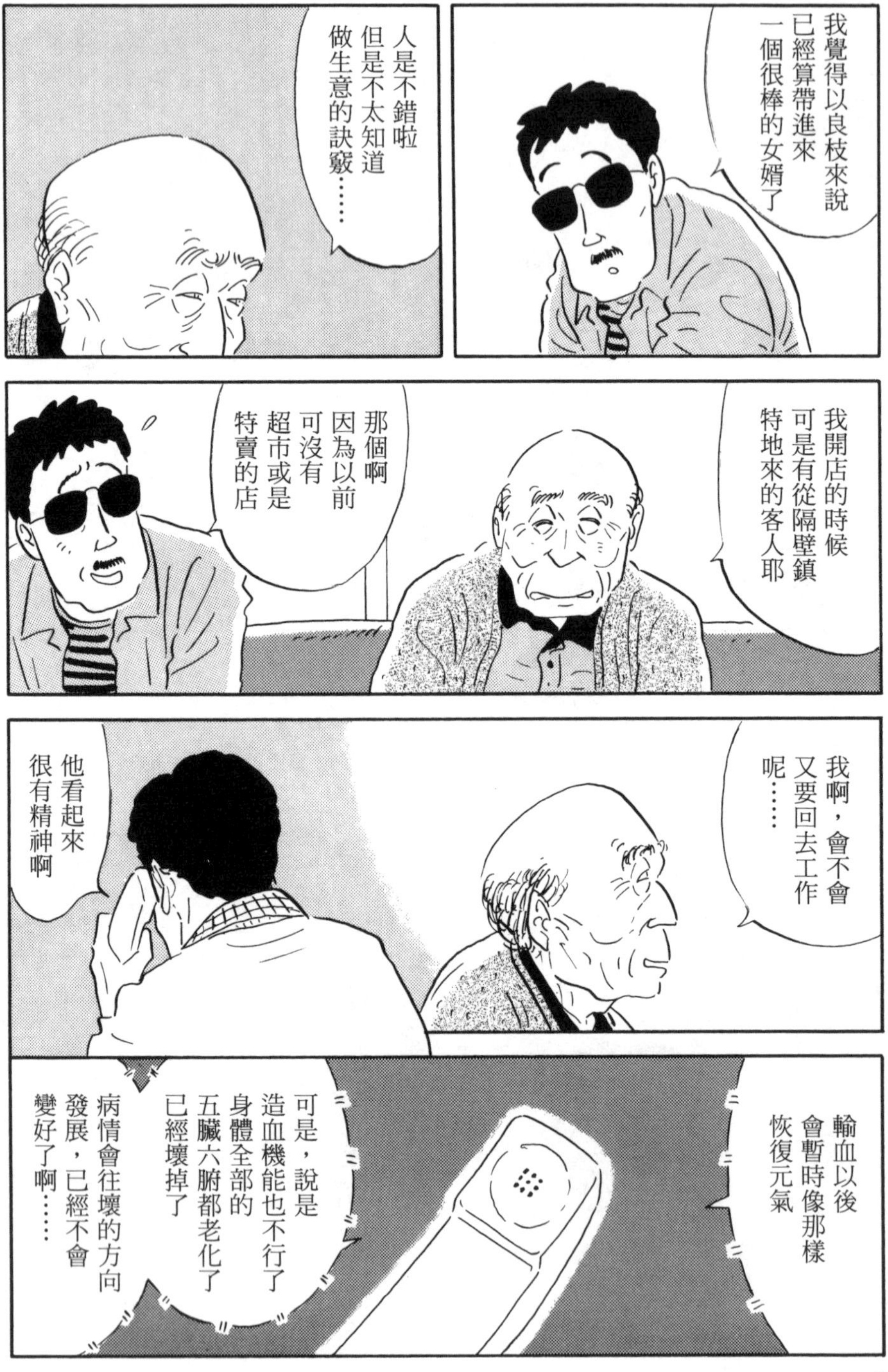

我覺得以良枝來說已經算帶進來一個很棒的女婿了
人是不錯啦但是不太知道做生意的訣竅……
我開店的時候可是有從隔壁鎮特地來的客人耶
那個啊因為以前可沒有超市或是特賣的店
我啊，會不會又要回去工作呢……
他看起來很有精神啊
輸血以後會暫時像那樣恢復元氣
可是，說是造血機能也不行了身體全部的五臟六腑都老化了已經壞掉了
病情會往壞的方向發展，已經不會變好了啊……

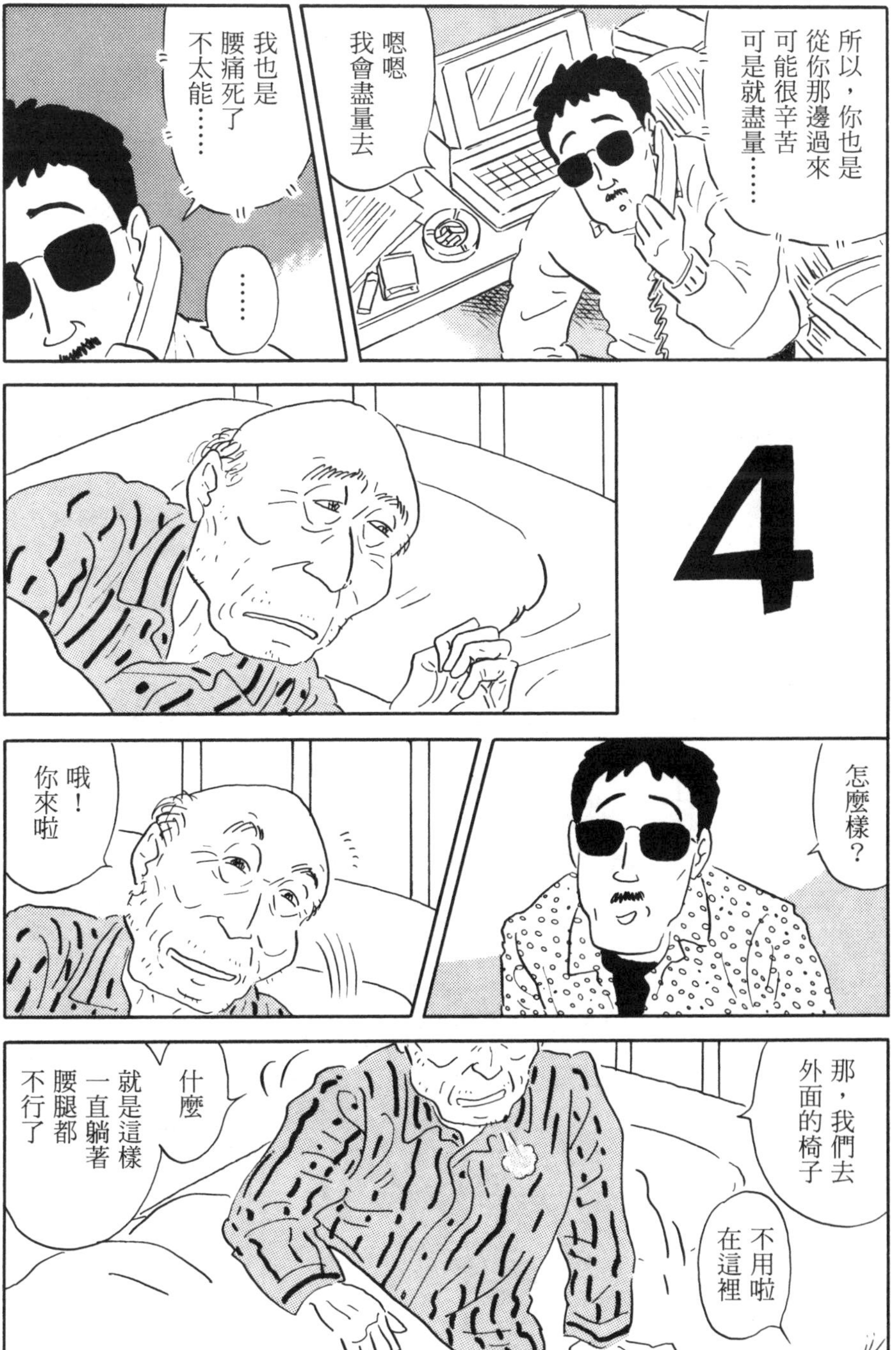
所以，你也是從你那邊過來可能很辛苦可是就盡量……
嗯嗯我會盡量去
我也是腰痛死了不太能……
……
4
怎麼樣？
哦！你來啦
那，我們去外面的椅子
不用啦在這裡
什麼就是這樣一直躺著腰腿都不行了

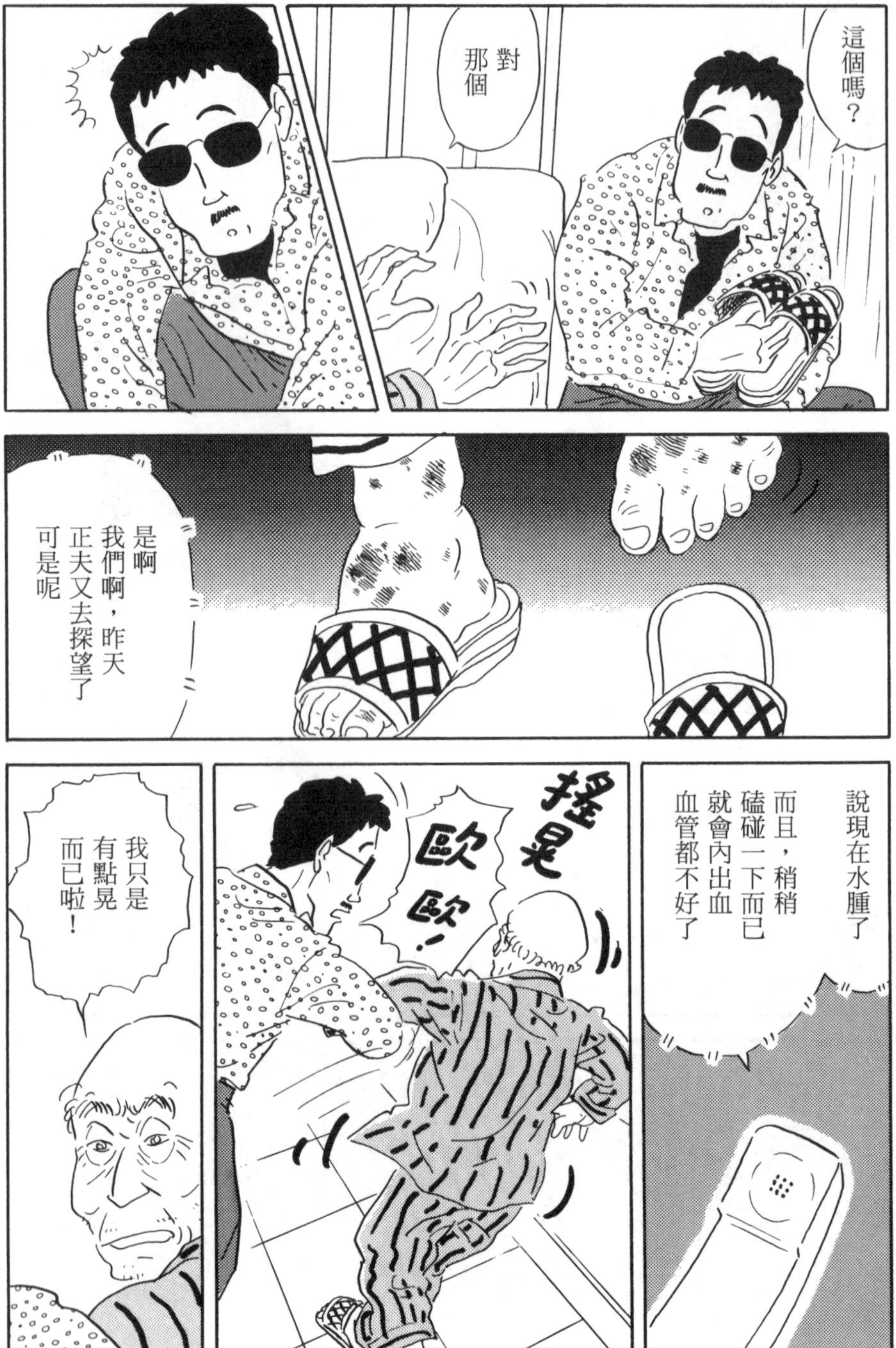
這個嗎？
對那個
是啊 我們啊，昨天 正夫又去探望了 可是呢
說現在水腫了 而且，稍稍 磕碰一下而已 就會內出血 血管都不好了
搖晃
歐歐歐！
我只是 有點晃 而已啦！

那邊是普通的急救醫院吧
我可以！
沒有痊癒希望的老人家，好像佔用他們的病房，醫院也很困擾
說要介紹老人專門醫院給我們說那邊的床會馬上空下來
啊啊！馬上會死……是嗎
住院費用有點高可是說是24小時看護制……
3
好來張開嘴吧啊～～！
很好！越來越好了耶
今天沒有流出來！

這邊是很仔細照顧大家呢
搬到這裡太好了耶
欸？什麼？
把人……
當做小孩子一樣在處理！
……

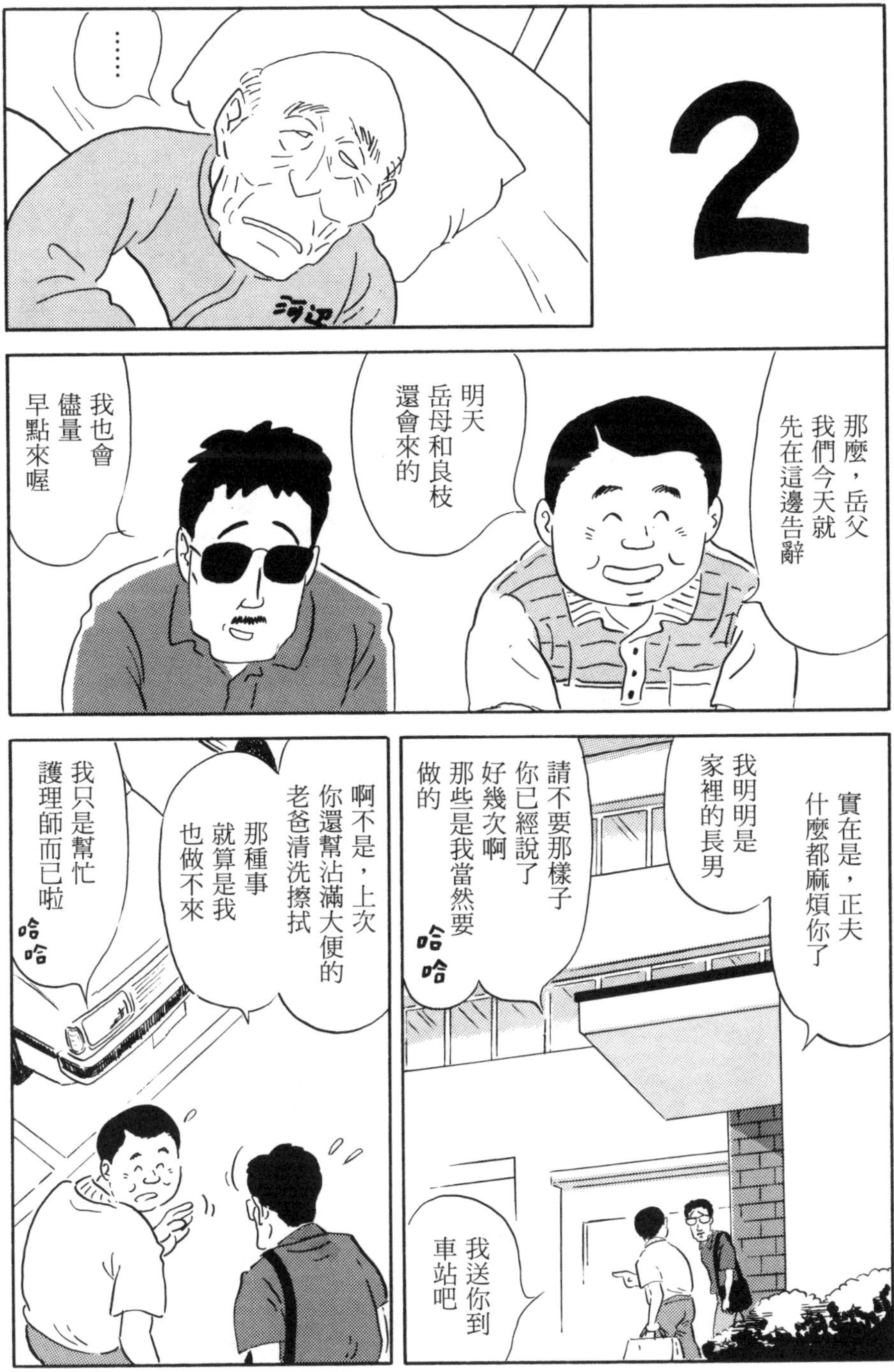
2
……
那麼，岳父 我們今天就 先在這邊告辭
明天 岳母和良枝 還會來的
我也會 儘量 早點來喔
實在是，正夫 什麼都麻煩你了
我明明是 家裡的長男
請不要那樣子 你已經說了 好幾次啊 那些是我當然要 做的
哈哈
我送你到 車站吧
啊不是，上次 你還幫沾滿大便的 老爸清洗擦拭
那種事 就算是我 也做不來
我只是幫忙 護理師而已啦
哈哈

我到的時候岳父去上廁所很久沒有回來我就去看看狀況
結果啊在廁所外面他全身沾了糞便跌倒了
因為他討厭尿布所以很拚命努力……
最後還是得用尿布嗎……
沒辦法啦
晚上，那麼多老人家，護理師就兩個人
……
很忙吧作家這種工作
哈哈不是什麼作家啦！
我只是寫寫酒吧啦、女人之類的介紹報導而已……
哈哈
……
岳父其實應該想要讓哥繼承店裡吧

不 好像沒這件事吧 從以前開始就說店要讓良枝接下去
因為你是男人啊
不要在這種鄉下地方的商店終老一生！
要去上大學……
上大學……
他希望我做什麼呢……
……
至少確定不是這種搞不清楚在幹嘛的寫風化業的寫手……

老爸發燒了
被送到叫做ＩＣＵ
的地方了喔
叫我們把刮鬍刀
和老花眼鏡什麼
的都帶回去
能帶進去的
只有假牙而已
喔……
因為……假牙
在往生以後
會再裝回去
讓臉好看一點！！
1
滾ー
唉唷!!
真是傷腦筋啊！
不管怎麼綁住他
都會拔掉輸血的針
床上啦所有的地方啦
都被他弄得都是血！
可以請你
再多拿
一些浴巾來
嗎！
不好意思耶
那我去
附近
買點東西
……
好髒的
河川……

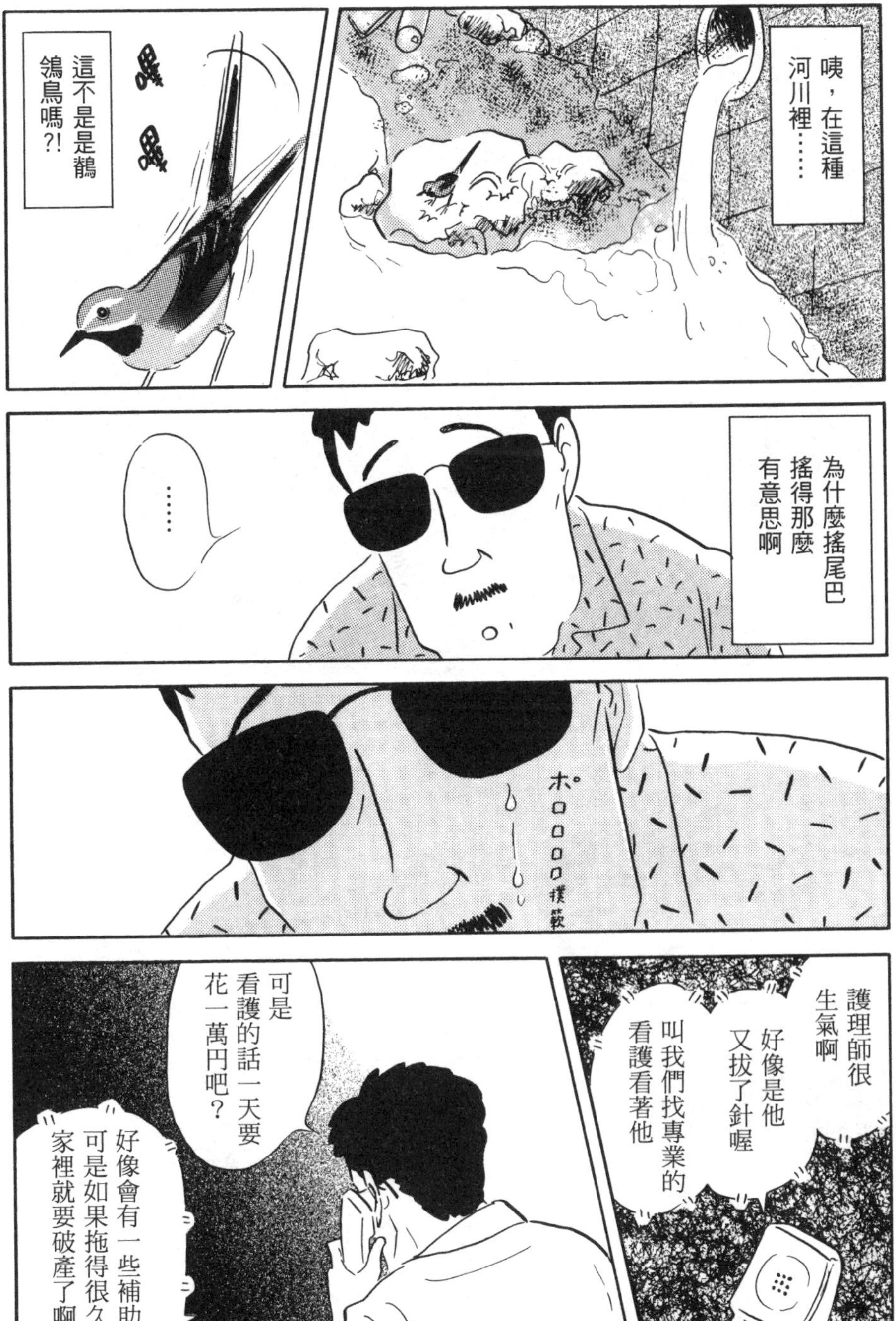
咦，在這種
河川裡……
喂
喂
這不是是鶺
鴒鳥嗎?!
為什麼搖尾巴
搖得那麼
有意思啊
……
ポロロロロ撲簌
護理師很
生氣啊
好像是他
又拔了針喔
叫我們找專業的
看護看著他
可是
看護的話一天要
花一萬円吧？
好像會有一些補助
可是如果拖得很久
家裡就要破產了啊！

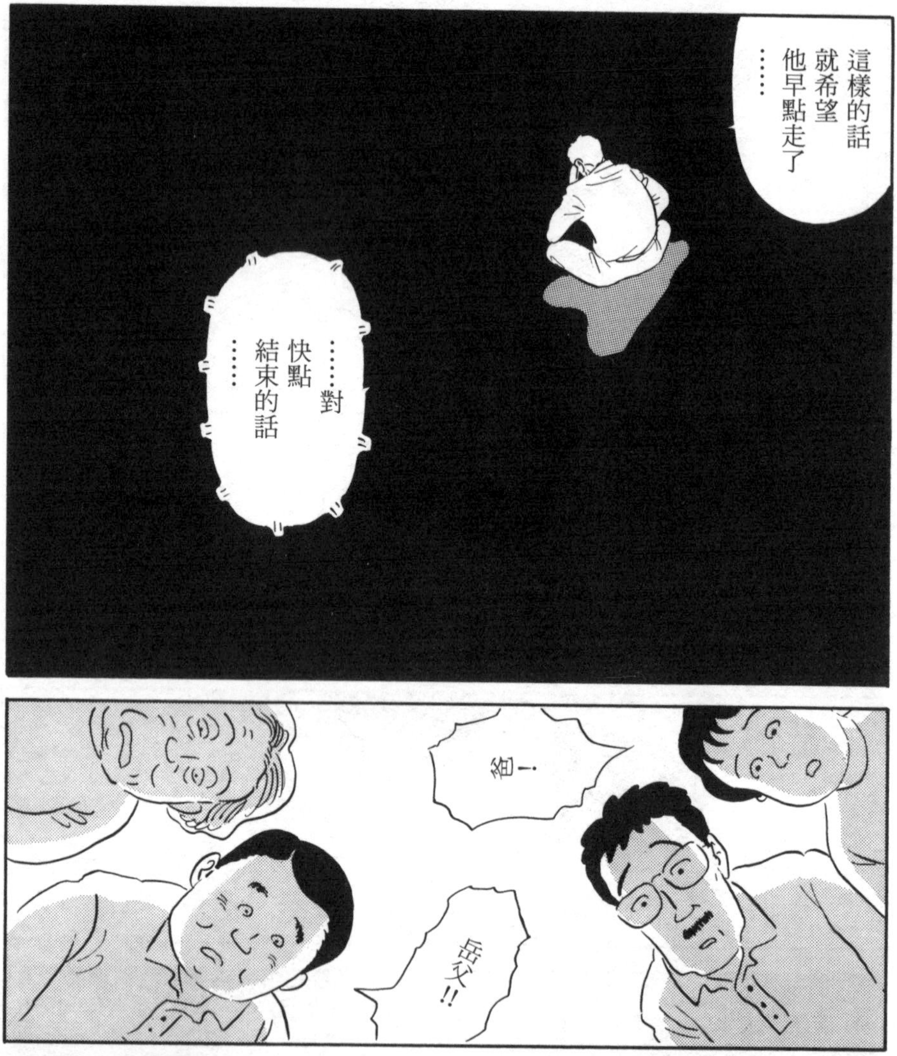
這樣的話
就希望
他早點走了
……
……對
快點
結束的話
……
爸！
岳父!!
「結束」意外地
很早來了
晚上九點
二十八分
長眠了

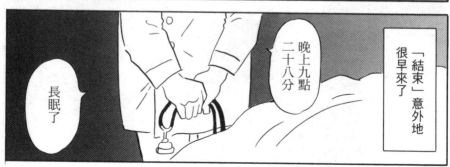

0
不經意就想到老爸的事也是只到七七那時候…
最近幾乎不會想到
可是在意想不到的時候突然——
!
老爸完全回到了0的狀態

喔
喔
鶺鴒鳥
在我的腦中
搖起了尾巴……

螺鈿之舟

她年輕的時候真的很漂亮……
就算上了年紀也稱得上是美女啊
……
母親死了

今天，勞煩各位特地為了家母遠道而來真的非常感謝
儀会場
ざわ 沙
ざわ
ざわ 沙
ざわ 沙
我去取車以後再過來
好的
我和孩子們到大馬路上等你
哥那我就在這裡告辭喔
嗯？
什麼啊！妳不一起到家裡坐一下嗎？
君枝來家裡啦！
難纏的老媽已經不在了過來一下啦
時間還可以吧，來一下下的話

你們如果要看電視就上二樓！
好——啦——！
躂躂躂躂
哈
受夠了啊！
真的！
真抱歉，照顧工作全部都推給久子嫂嫂了
和自己親生的女兒都處不好的壞脾氣的人辛苦妳了，照顧到最後……
不會啦！
因為婆婆啊是那種一板一眼的人啊
反倒是我是那種一直讓她照顧的媳婦
總之可以走得那麼快本人也很幸福不是嗎？

至少
沒痴呆
也沒臥病在床
很棒了
……
最近是不是
開始有點失智症狀了
前一陣子
突然寫了信
給我
明明
連電話都
不會打給我的
那是很
奇怪的信
……
乘坐小舟
為了與誰相遇
前往西方
之類的字面
說到西方
我那時想
是不是突然
發了宗教心……
突然很
纖細的內容
還有
「海岸邊
有三隻千鳥」
之類
「海岬尖端長出了
兩棵松樹」等等
啊
有聽過！
我也有印象！

確實是……
對了！
螺鈿之舟！
螺鈿之舟？
說要坐上那條船去見媽媽之類的
媽媽？是說老媽的母親嗎？
「螺鈿」指的是蒔繪那類用的螺鈿吧?!
哪知
她寫的是「有帆的舟楫」喔
是用蒔繪繪製的有帆的船吧？

嘎——嘎
……不知道她是哪裡得到的宗教知識
前往夕陽沉下的西邊海岸作為出航的死亡
結果大家的結論是老媽應該開始有點痴呆了吧
那裡大概是那人早逝的母親在等待的場所吧……
——不管怎樣，用螺鈿做成的舟船……還真有那人的特色！
……

チャラ
話說回來
妳……還跟那男人在一起嗎？
妳都是成熟的大人了，我就不多說。只是可以的話，希望你們還是認真點。
カチャ
可鈴
很慢耶！我肚子餓扁了啦
我現在就做點簡單的東西喔

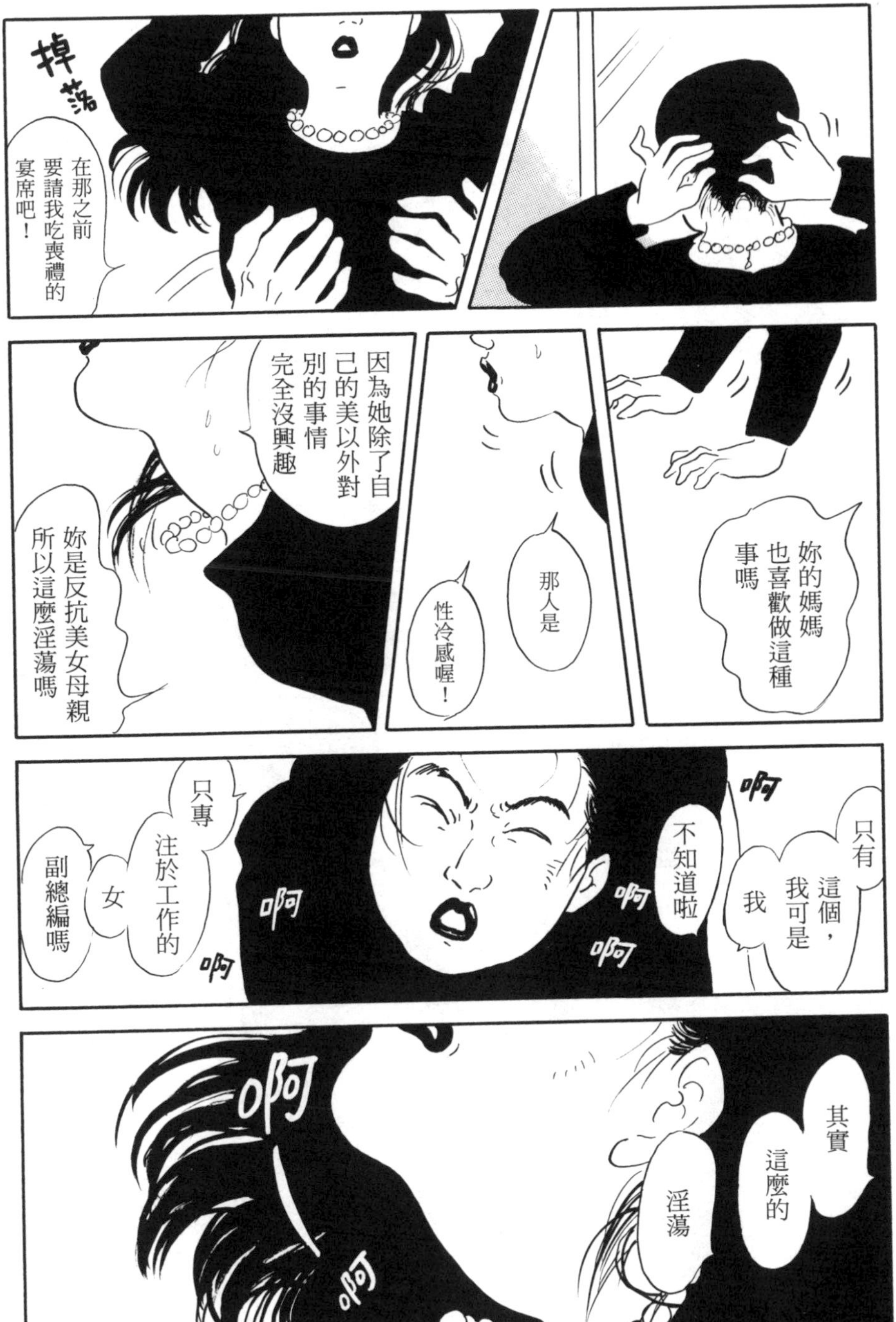
掉落
在那之前要請我吃喪禮的宴席吧！
妳的媽媽也喜歡做這種事嗎
那人是
性冷感喔！
因為她除了自己的美以外對別的事情完全沒興趣
妳是反抗美女母親所以這麼淫蕩嗎
只有這個，我可是
我
啊
不知道啦
啊
啊
啊
只專
注於工作的
女
副總編嗎
啊
其實這麼的
淫蕩
啊
啊

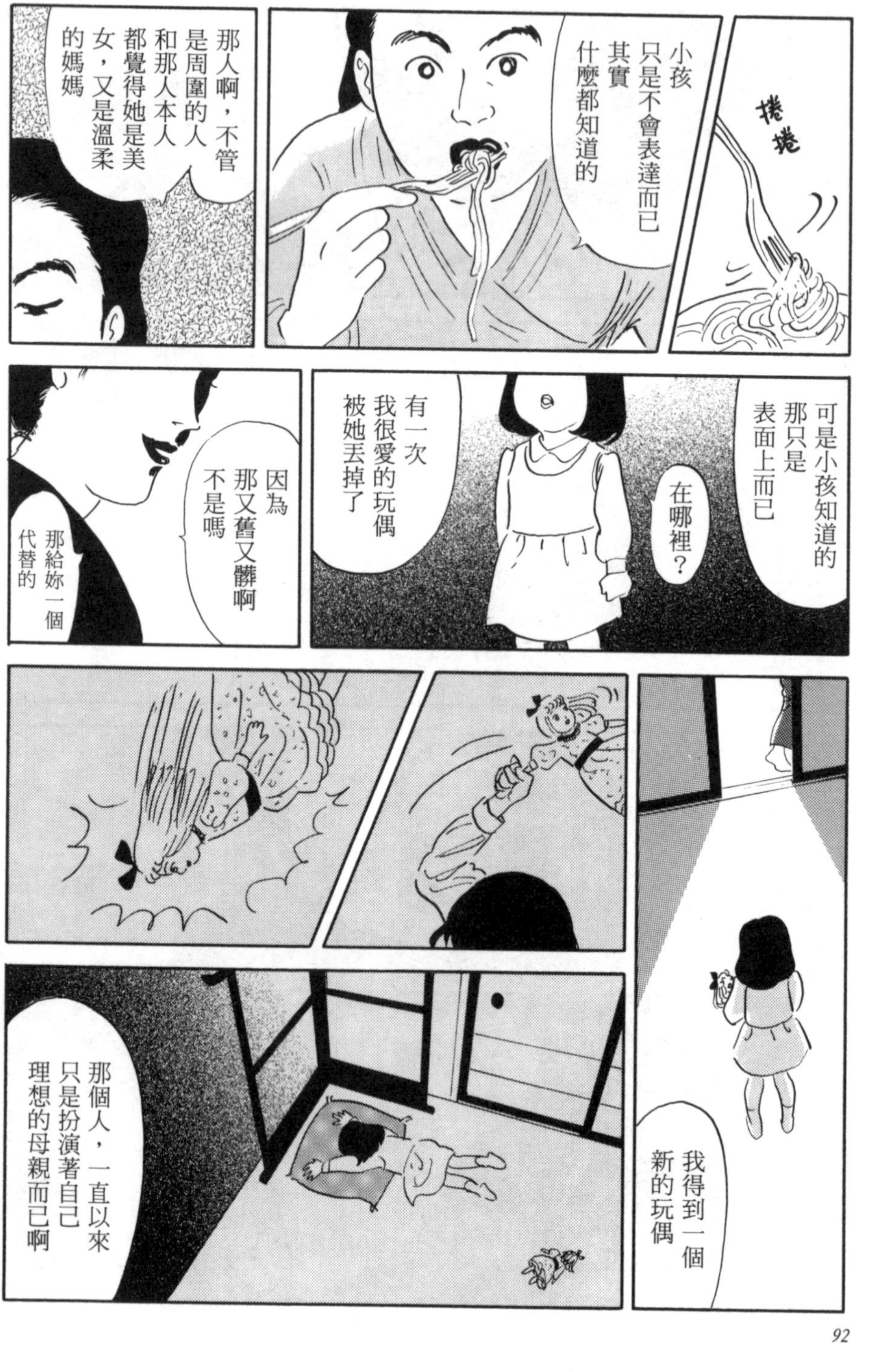
捲捲
小孩只是不會表達而已其實什麼都知道的
那人啊，不管是周圍的人和那人本人都覺得她是美女，又是溫柔的媽媽
可是小孩知道的那只是表面上而已
在哪裡？
有一次我很愛的玩偶被她丟掉了
因為那又舊又髒啊不是嗎
那給妳一個代替的
我得到一個新的玩偶
那個人，一直以來只是扮演著自己理想的母親而已啊

我長大以後跟那人大吵一架終於把她擺脫掉了
可是嗯
敵人已經死掉了吧
……也是
……
螺鈿之舟……嗎……
接到久子嫂嫂的電話，是接下來的星期日
嘟嚕嚕
ルルルルルルルル
我現在在整理婆婆的遺物不過突然想到
是叫和式衣架嗎？那種掛和服的家具
啊啊！聽說是祖母嫁過來的時候帶來的嫁妝
那東西還在嗎？

我不知道能不能丟——
可以啦把它丟掉！
不，不是那意思的，我心裡想著「螺鈿之舟」一看之下
上面真的有！「螺鈿之舟」！
下面的板子上有圖樣
我想是螺鈿哪這個是貝殼的顏色
我記得！
是那個畫！上面有海岬
對對有海岬
尖端有兩棵松樹

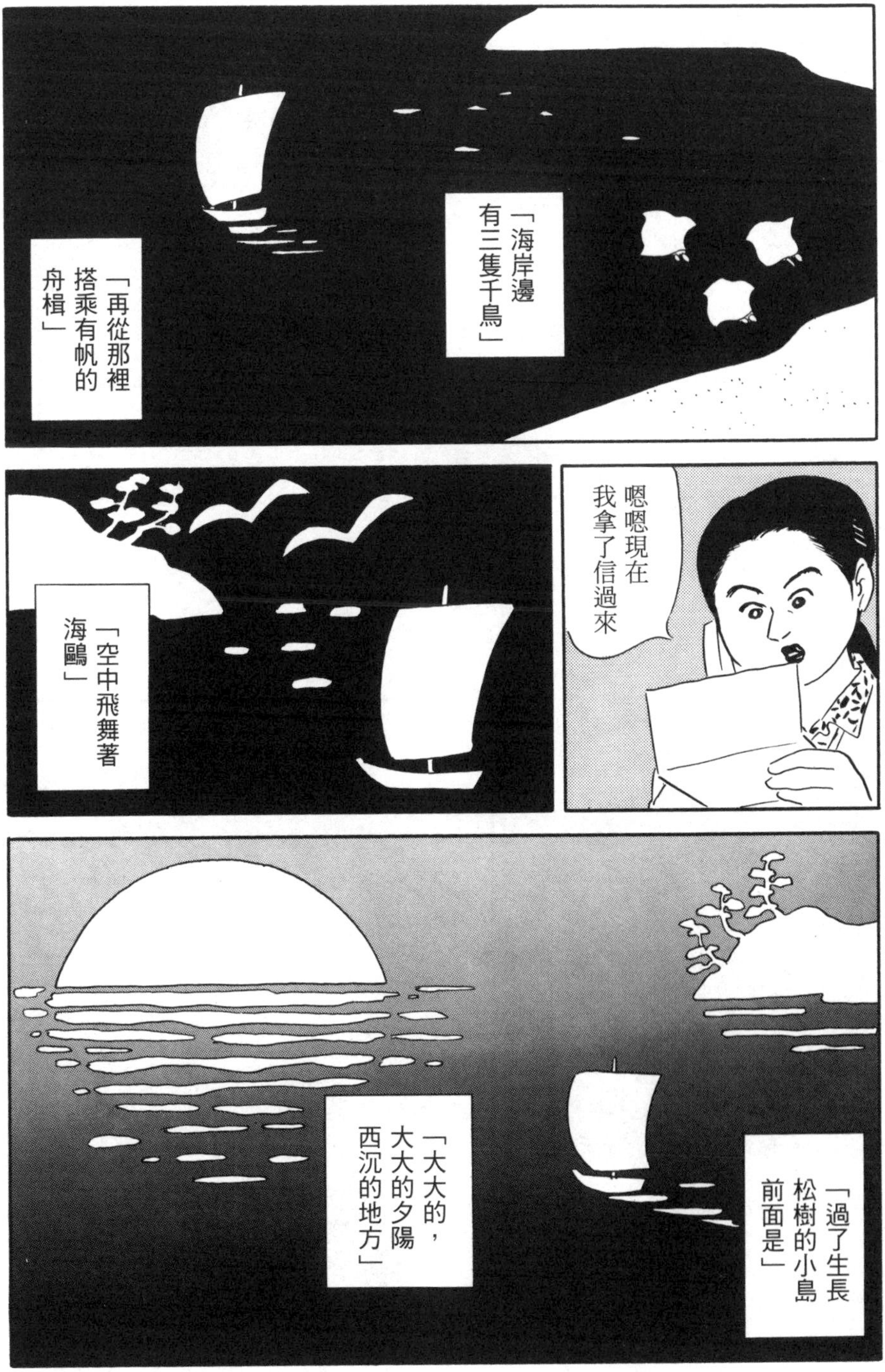
「海岸邊有三隻千鳥」
「再從那裡搭乘有帆的舟楫」
嗯嗯現在我拿了信過來
「空中飛舞著海鷗」
「過了生長松樹的小島前面是」
「大大的，大大的夕陽西沉的地方」

那是放在房間裡嗎？
不，一直在儲藏室的深處
是不是小時候一直看著就記起來了呢
那個地方很難進到大人的視線吧
是啊……
因為祖母在媽小時候就去世了
是啊！
她有說到要去見媽媽
媽媽是夢到了她「溫柔又漂亮的媽媽」了吧

我有點明白了那個人為什麼會變成那麼不自然的媽媽
可是！
夢就是夢啊！
稍微對別人有點興趣的話馬上會知道那種事的！
還好你喔是對別人有興趣的人！
啊哈哈
太有興趣了！
啊哈哈哈哈
笨蛋！
不要！
啊！
喂！

鏍鈿之舟
逐漸走遠，變小
消失在遠方……

銀杏

孩子的爸啊
今年銀杏也
變色了
和以前一樣，完全
沒變的只有那棵
銀杏樹而已吧
唉呀

亞紀出門了
作為孩子的爸和我的孫子她相當漂亮吧
是整形喔
在這個假的像城堡一樣的這個家裡也是似是而非的啦……
實在整了太多次我想不起那孩子以前的長相了
以前那個家不管是哪個角落我都想得起來
那個跟孩子的爸一起住過的老家

和子喲！
今年也結了好多白果哪
嗯啊 今年沒有大颱風
以前啊，曾經聽說有吃銀杏撐過饑荒的時代喔
哪
……

和子喲
妳不覺得很
不可思議嗎？
掉落在地上的
銀杏葉
只是普通的黃色枯葉
在枝頭的時候
妳看，那樣緩緩
落葉的時候
閃閃發光
簡直像是
用黃金打造的
金葉子吧
那是善男
剛出生沒多久
的事吧……
落葉的樣子
明亮又美
麗！
連那種事情
我也記得好
清楚
咦！

來了一個不認識的人
好了！快點走！
不，可能是認識的人也不一定……
叮咚！叮咚！
畢竟最近
不好意思！
午安！
有人在吧！
我什麼都記不太清楚……
善男!!
你——!!
也有記得很清楚的事 孩子的爸
是我啊！麗子！小健也一起來了！
快點給我出來啊!!
接下來家裡要大亂了！

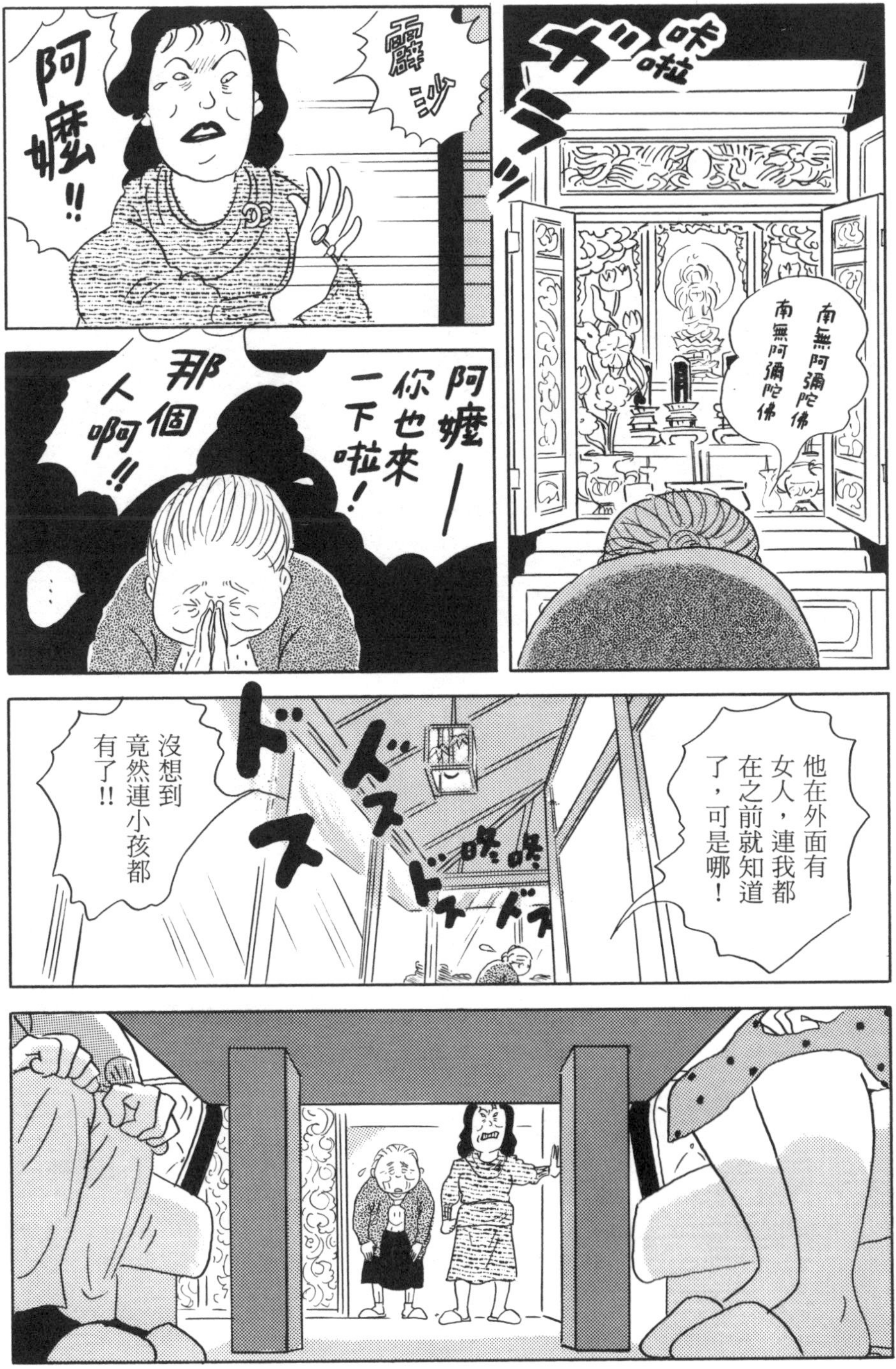
ガラッ
咔啦
南無阿彌陀佛
南無阿彌陀佛
霹沙
阿嬤!!
阿嬤──你也來一下啦！
那個人啊!!
……
他在外面有女人，連我都在之前就知道了，可是哪！
ドスドスドスドス
咚咚
沒想到竟然連小孩都有了!!

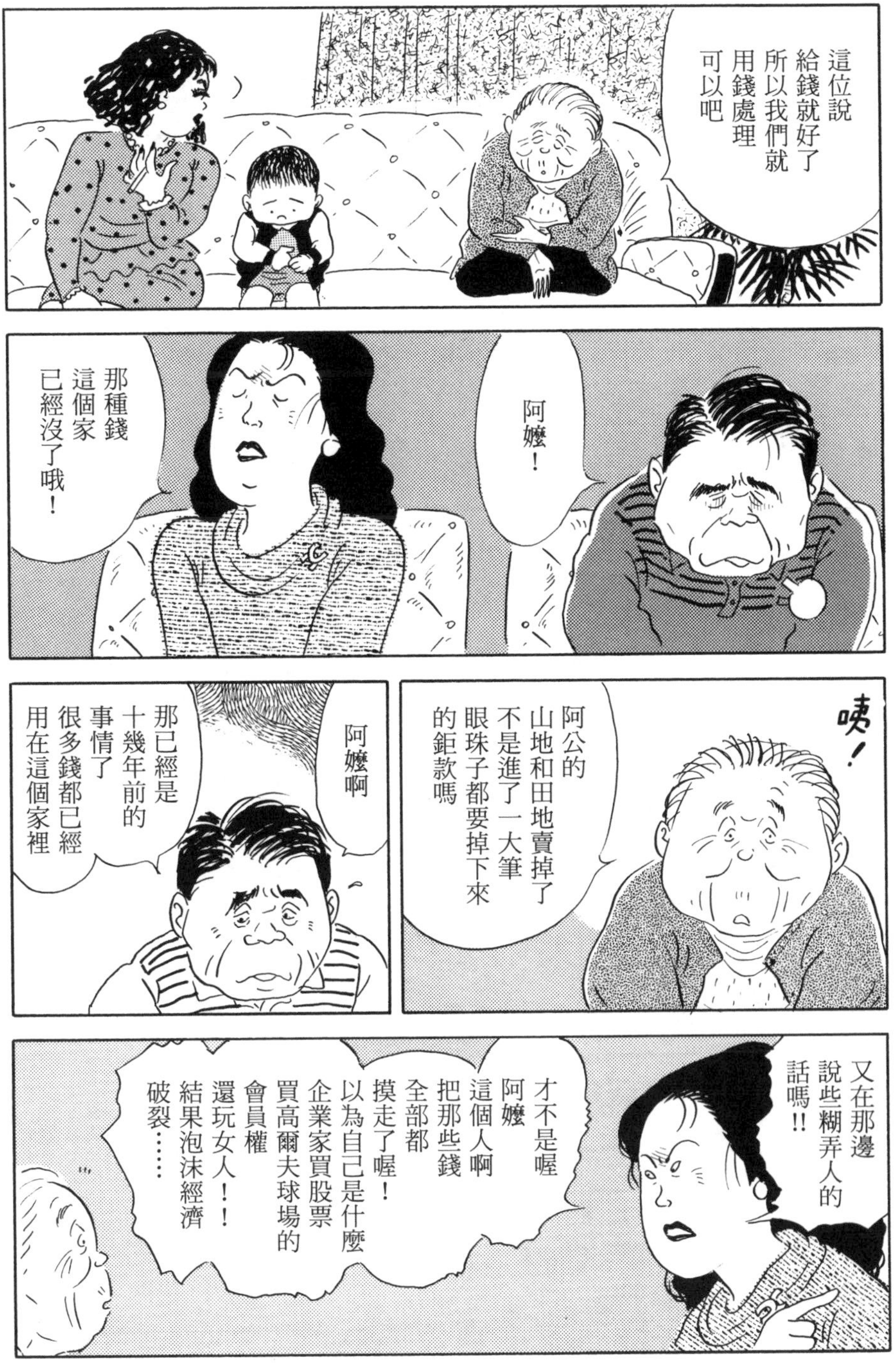
這位說給錢就好了所以我們就用錢處理可以吧
阿嬤！
那種錢這個家已經沒了哦！
咦！
阿公的山地和田地賣掉了不是進了一大筆眼珠子都要掉下來的鉅款嗎
阿嬤啊
那已經是十幾年前的事情了很多錢都已經用在這個家裡
又在那邊說些糊弄人的話嗎!!
才不是喔阿嬤這個人啊把那些錢全部都摸走了喔！以為自己是什麼企業家買股票買高爾夫球場的會員權還玩女人！！結果泡沫經濟破裂……

嗚哇～！
就連這個房子都拿去抵押馬上要被拿走了啊阿嬤!!
……
說是沒有錢了
沒有喔
沒有！
好啊！
那我就在這個房子裡坐到拿到錢為止
麗子～
咦～！?!
啊呀！

小朋友
你來啦！
大哥哥！
和弘
你！
你竟然也
知情——
握
這個家
到底是
怎樣啦!!
瞞著我
大家
偷偷摸摸
地在幹麼!!
……
老媽妳也
是啊
什麼啦！
為了對抗
妳就生啊
不就好了嘛

卡拉OK教室
老師的孩子
那個老師
是我的同夥
認識的人喔
很愛炫耀
好像到處在講喔
說讓田僑仔的老
婆懷孕了
你騙人!!
妳、妳、妳、妳這個傢伙!!
那那、那那、

是喔!!你就沒錯喔在外面養女人!!
就覺得妳整天臉塗得油油的整天想出門沒想到
你這混球ー!!
我是怎樣了啦!
你要把小健怎麼辦啦!!
你喔!!
痛!
啊
咚
嘎啦
南無阿彌陀佛
南無阿彌陀佛
磕!
唔~
咚
摔
嘎
喂~
阿嬤
這種家沒有還比較好喔!
孩子的爸……

阿嬤！
咦 亞紀！
聽說昨晚吵得很嚴重？
我聽和弘說了
結果最後阿嬤手上的土地，妳要放手？
就像貓額頭一樣很小的地應該也賣不了什麼錢
不過搬家費是會幫忙出的吧
……
……
沒問題喔！

和弘在更早之前就說這個家不行了
他已經去了車子的修車工廠
亞紀呢？
嗯？
嘿嘿
我有這樣的美貌
不管什麼樣的男人都會被我釣到
當公關小姐也可以賺錢
別擔心啦！
怎麼樣？還是整形比較好吧不覺得？
雖然阿嬤很討厭整形吧
啊哈 啊
啊哈哈哈

亮燦燦地發著光
簡直像是
黃金打造的啊
孩子的爸……

它落葉的
樣子很明亮
真好啊！

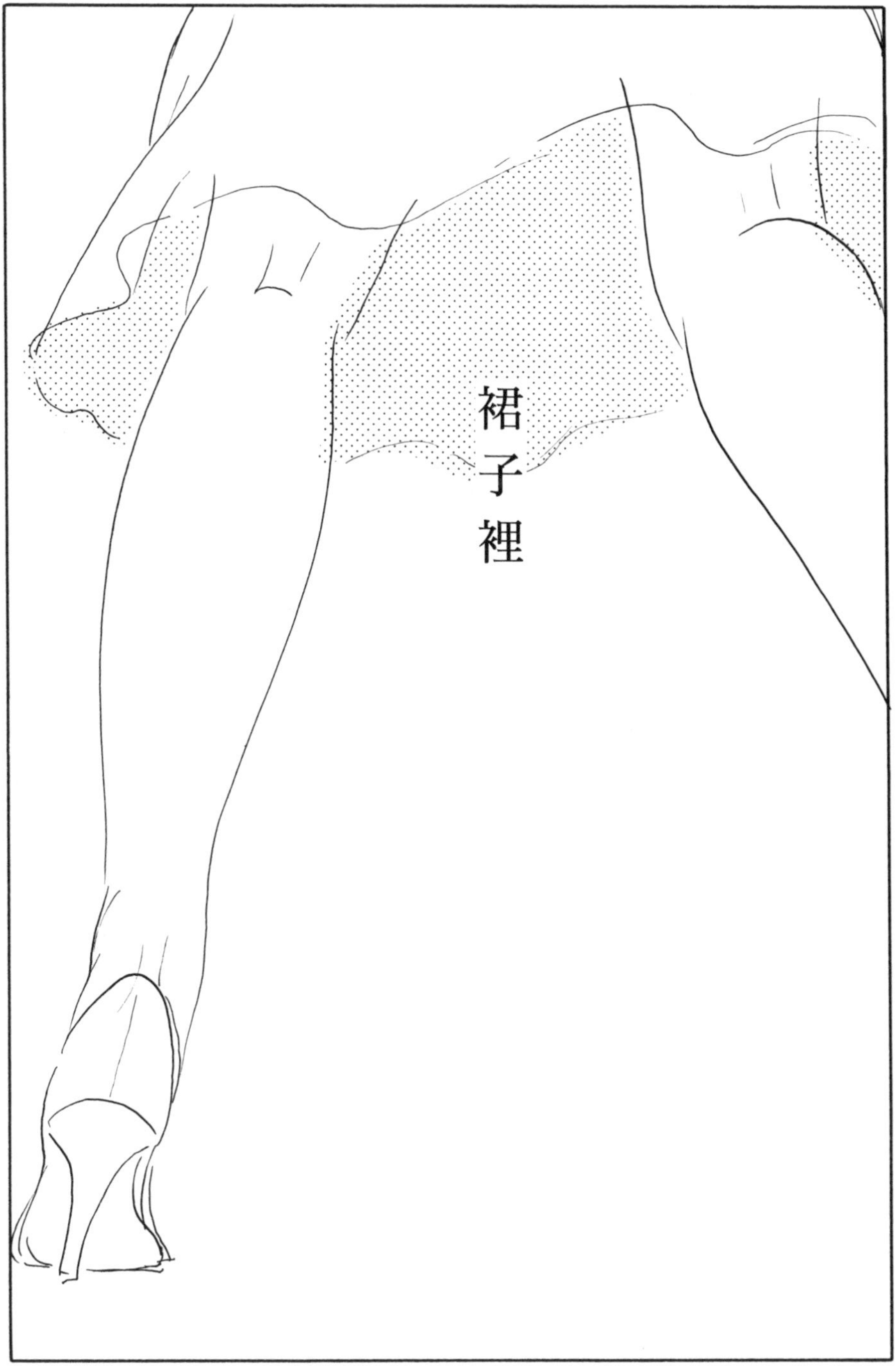
裙子裡

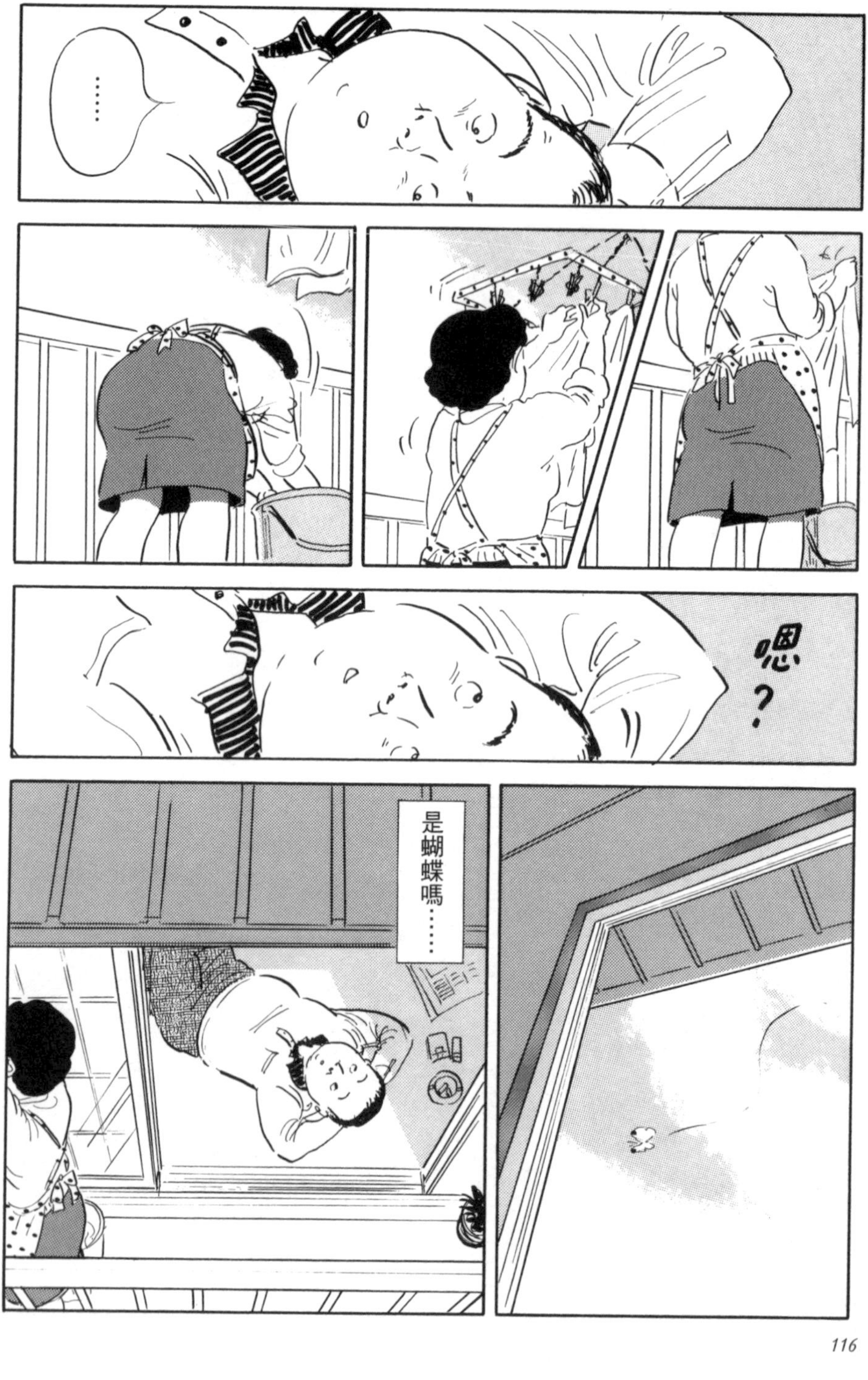
……
嗯？
是蝴蝶嗎……

於是 忽然想起 很久以前的事
不好意思哪 小景！
讓你久等了！
啊！我知道那是誰！
哪個？
女的？還是男的？
女的 鐵工廠 被退回來的
呵呵呵
傻！瓜！
被退回來？
嗯 老媽他們 全都那麼說

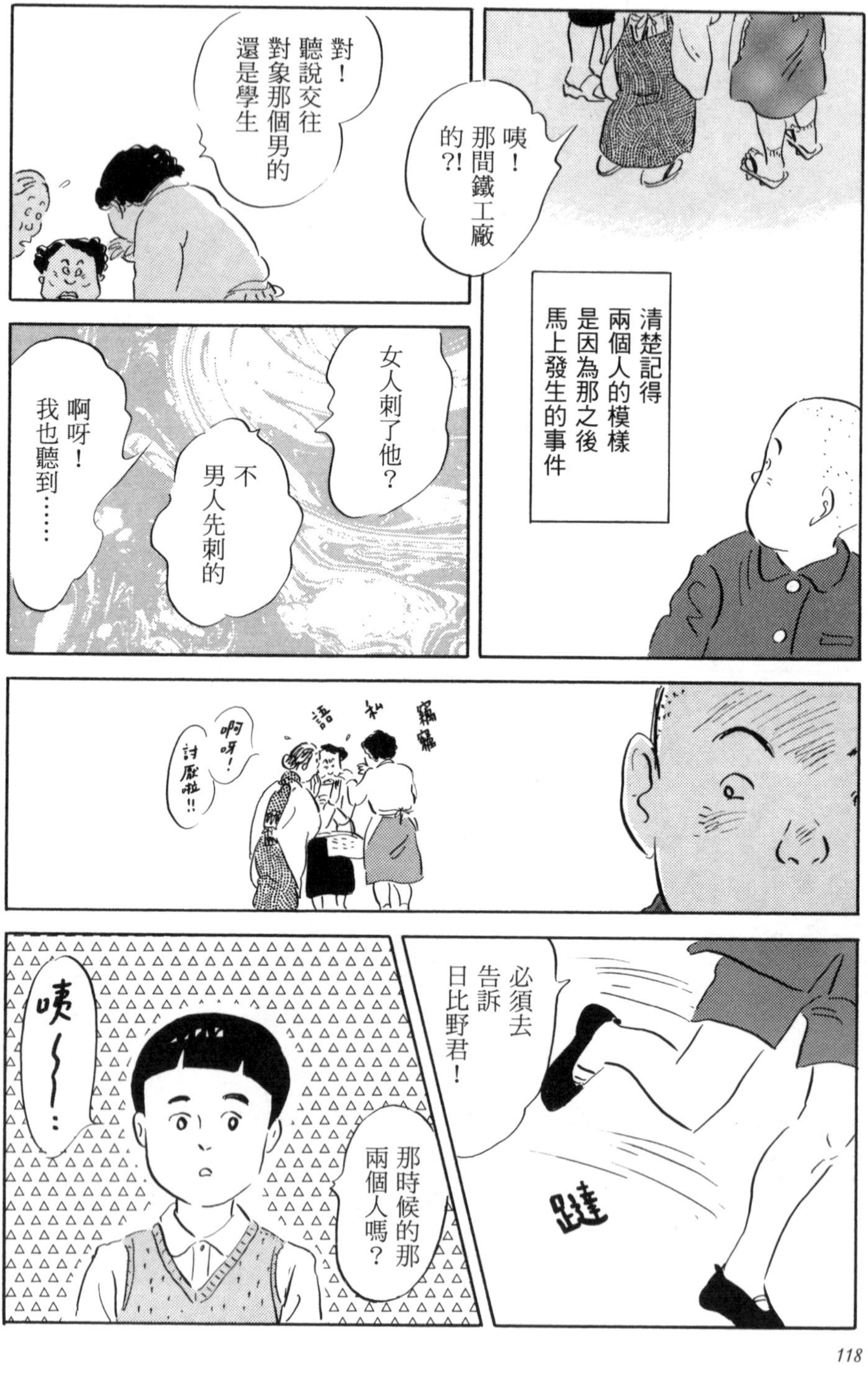

咦！那間鐵工廠的?!
對！聽說交往對象那個男的還是學生
清楚記得兩個人的模樣是因為那之後馬上發生的事件
女人刺了他？
不 男人先刺的
啊呀！我也聽到……
竊竊私語
啊呀！討厭啦!!
必須去告訴日比野君！
躂
咦～～…
那時候的那兩個人嗎？

我沒和日比野君同班過
第一次說話是
那一天的前一個星期左右
又沒中了
我也是
那個籤很有人氣哪！大家都來抽喔
中獎禮物應該很好吧

如果你們哪個能中一等獎就好了
よい子の昆虫採集
你們兩個是特別熱中的呢
獎品裡小小的昆蟲採集組合
對當時的我們來說看起來就像夢想中的寶物
佐藤～～君！
你是三班的佐藤君，對嗎？
喔喔幹嘛呢！

我有一件祕密的事
要跟你討論
幹嘛呢！
嗯
那個啊……
我們不全部
買下嗎？
我和佐藤君兩個
人把那些籤全部
連獎品
我本來想
自己一個人買
不過錢有點不夠
在我存錢的時候
可能會被誰抽中

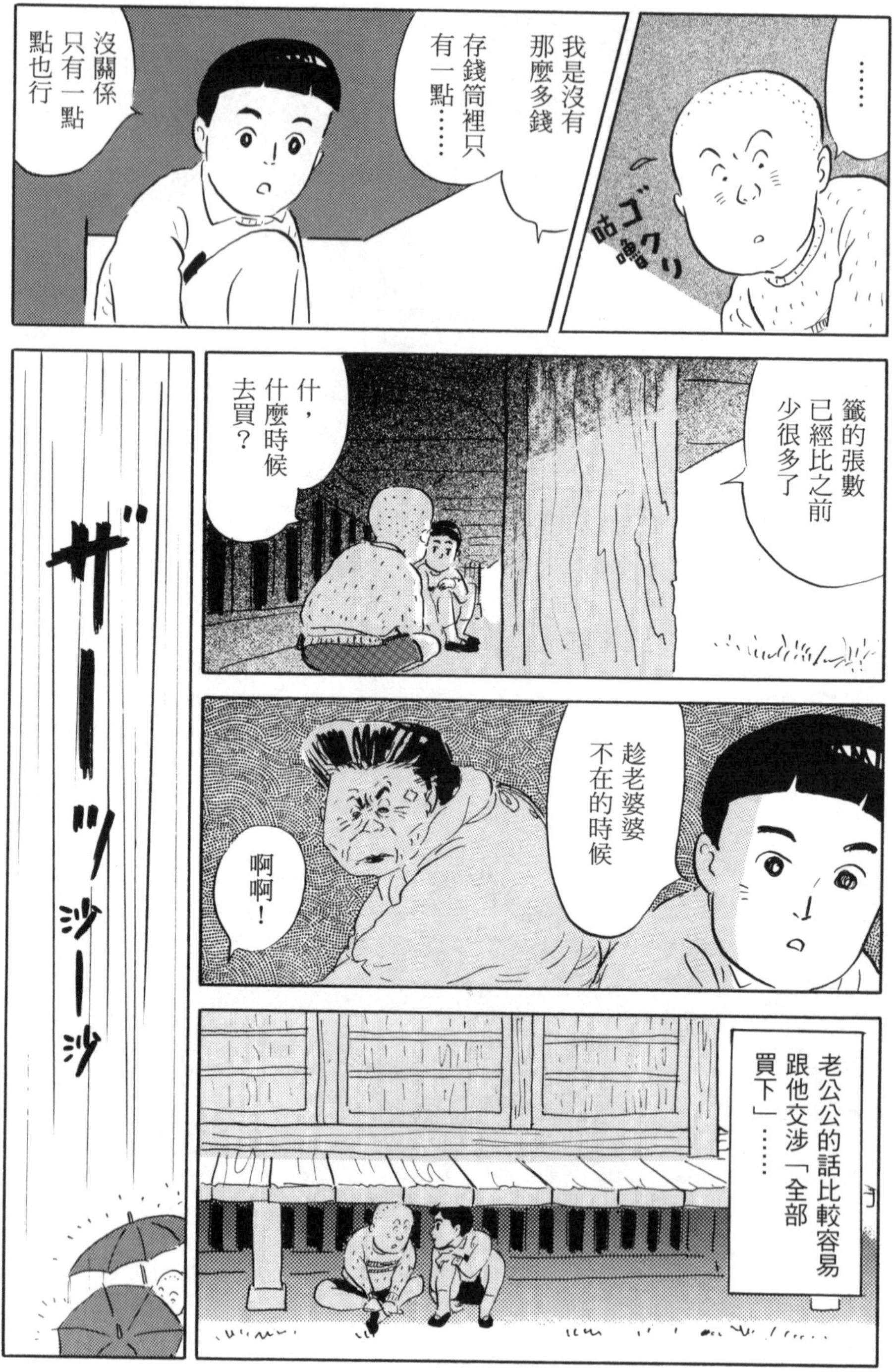
……
咕嚕
ゴクリ
我是沒有那麼多錢
存錢筒裡只有一點……
沒關係只有一點點也行
籤的張數已經比之前少很多了
什，什麼時候去買？
趁老婆婆不在的時候
啊啊！
老公公的話比較容易跟他交涉「全部買下」……
ザーッ
沙ー沙

這雨的下法真是討厭
可以嗎 不要像之前那樣搞錯找零喔！
我出門了！
啪
上吧！
ザーッ
沙ー沙
ザーッ
……
啊 太好了 整箱拿回去

那一天……
是第一次的「昆蟲採集」
哇！
這是什麼田呢？
很像油菜花
你按著！
可是，花跟蝴蝶同樣都是白色的

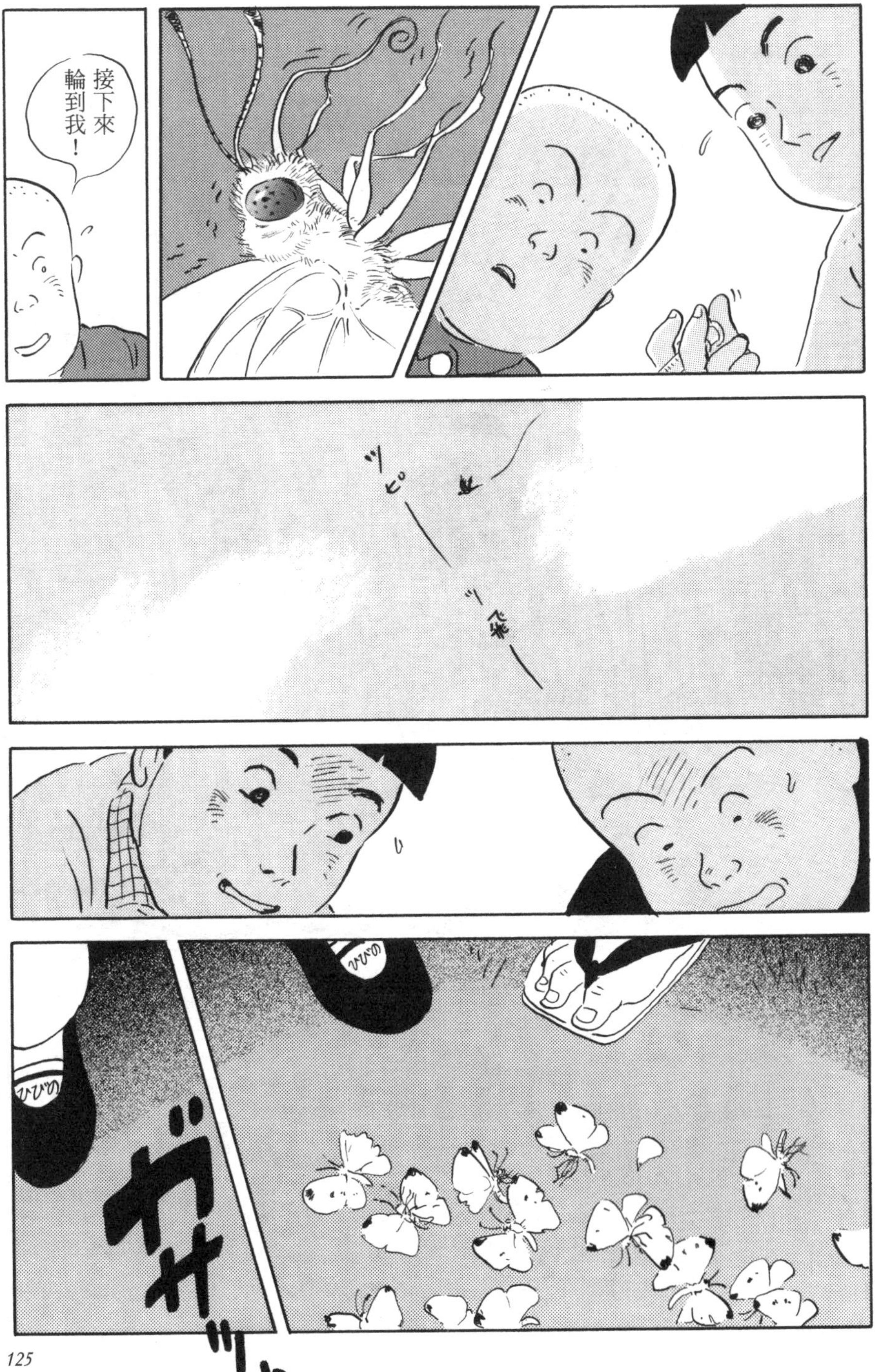
接下來輪到我！
ツピ
ツピ
沙

感覺不能被看到
沙沙
ジャ〜〜ッ
沙〜〜
じょわじょわ
淅淅淅淅

不好意思！小景！
讓你久等了！
……
看到了？
嗯 看到了！
有長毛
嗯 有長毛
呵呵呵
傻瓜！
你明明知道我在曬衣服！

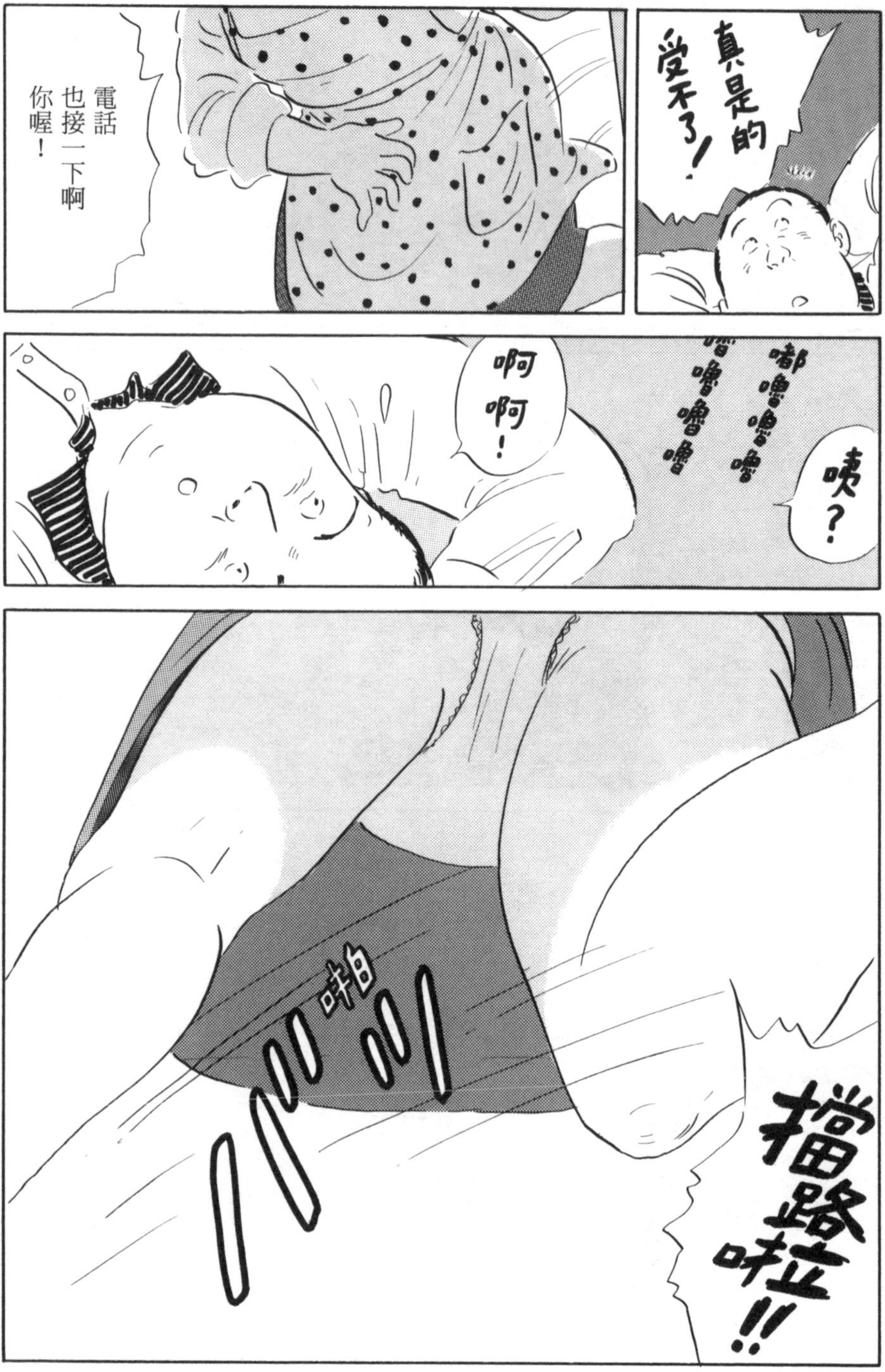
真是的受不了！
電話也接一下啊你喔！
咦？
嘟嚕嚕嚕嚕嚕嚕嚕
啊啊！
啪
擋路啦!!

……
日比野君上國中前死掉了
因為得了我記不起來名字很困難的怪病一下子就消失了
那時候的兩個人？
嗯——…
那男人還是不知道裙子裡的祕密
啊哈哈
我老公也是喔！休假的時候就在家裡滾來滾去滾來滾去真的是煩死！
滾
我曾經覺得完全知道了裙子裡的事可是

女方刺的嗎？
不是男方先下手的……
最近感覺其實我什麼都不知道
說到這裡後來「昆蟲採集組」放到哪裡了
完全不記得了

囚人

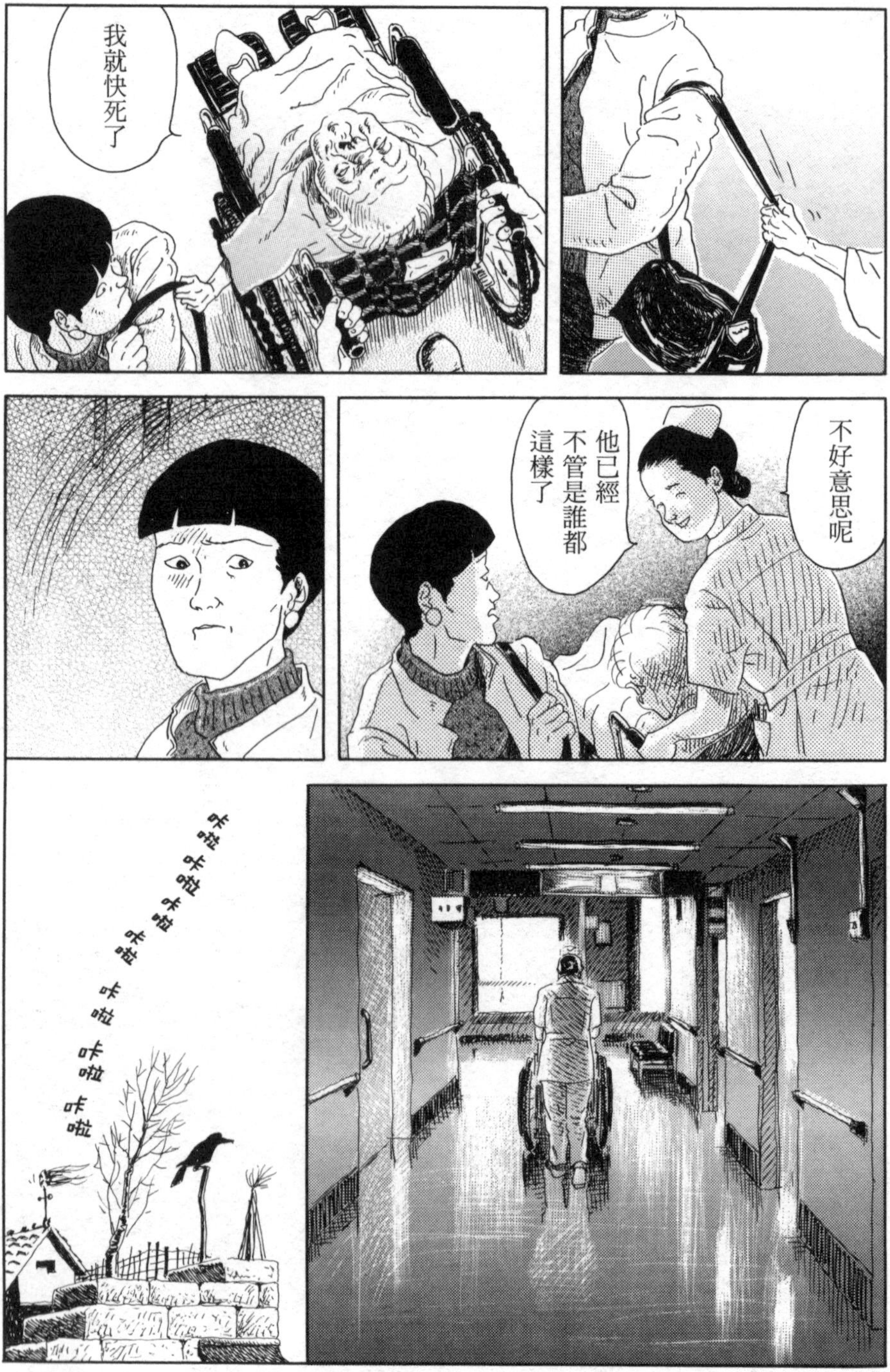
我就快死了
不好意思呢
他已經不管是誰都這樣了
咔啦咔啦咔啦 咔啦 咔啦 咔啦 咔啦

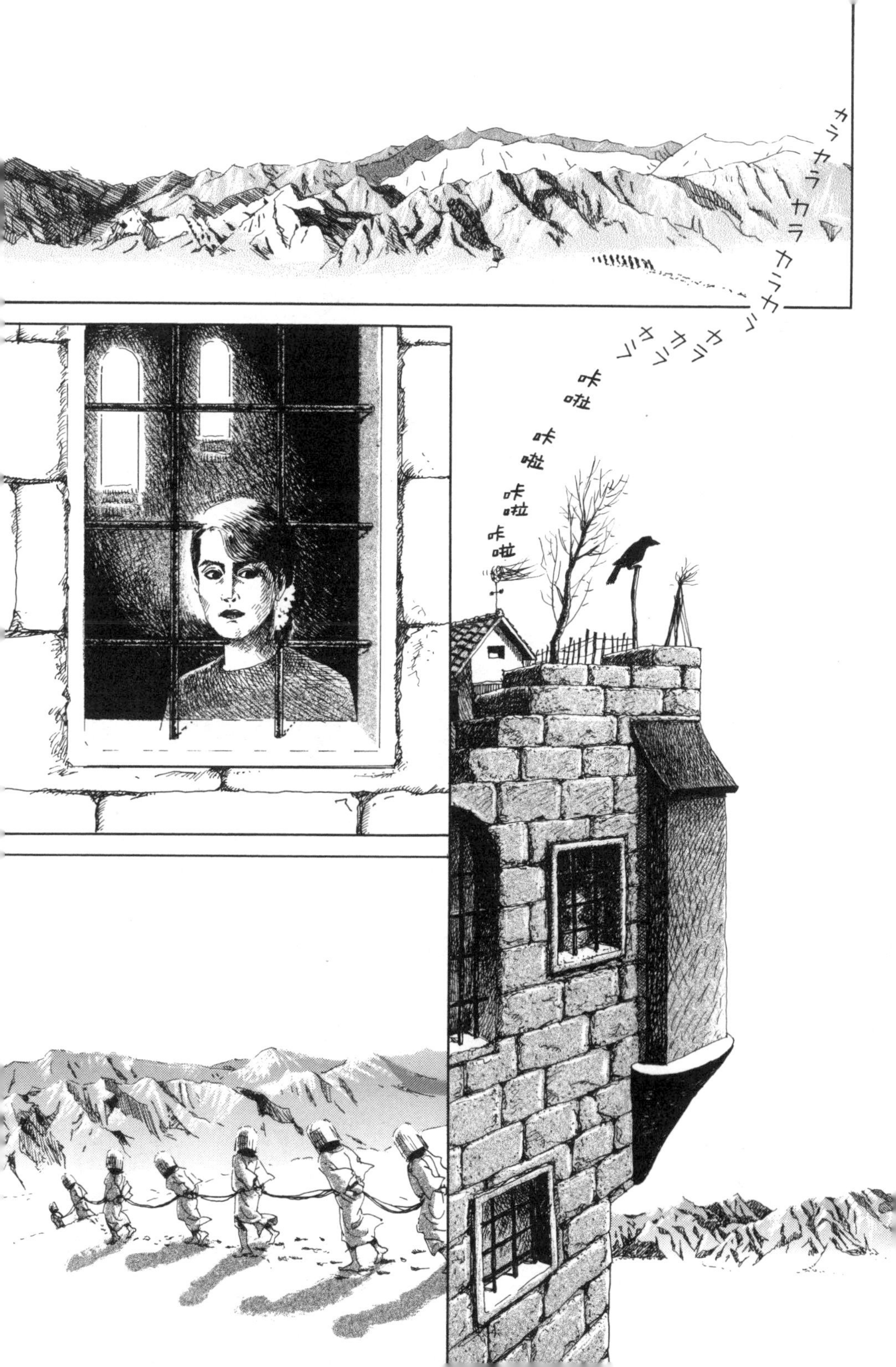
カラカラカラカラカラカラカラカラ
咔啦
咔啦
咔啦
咔啦

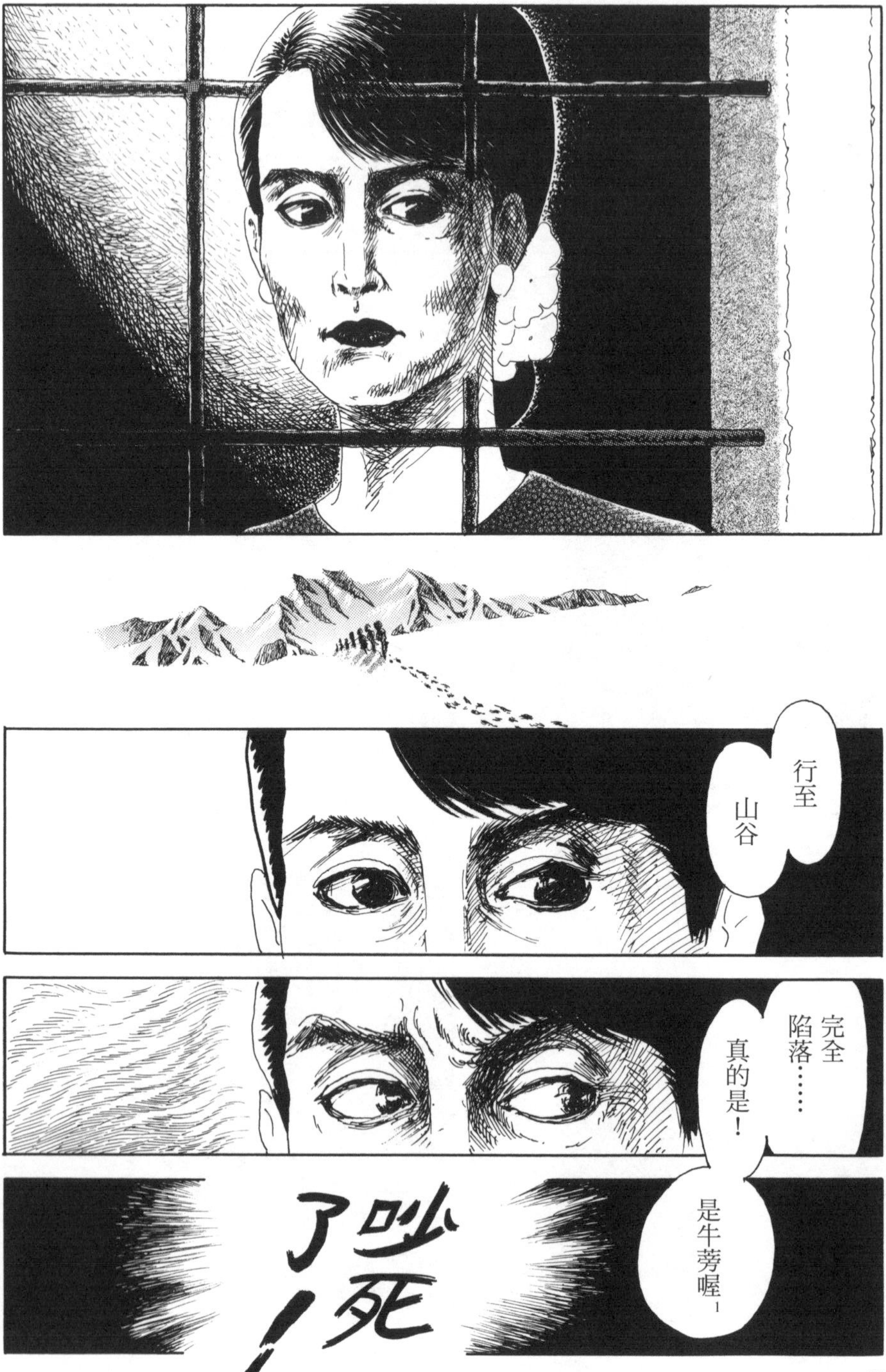

1 此處原文幾乎難以理解，詢問原作者後，齋藤女士回答說是想表達老人的譫妄囈語，所以用看起來有意義但其實無意義的字句表現。

ザーッ
沙ー
來得及嗎
哇
因為相當遠呢
唉呀
妳
來了？
怎麼樣？
感覺還好嗎
……

……
還很睏
妳的漫畫是不是完全賣不出去?!
欸?
……有賣一點啦
靠那個能活嗎?
我已經不能再幫妳任何忙了
跟妳也已經不能見面了
男人們全部被帶走了
是暴露了吧
我是雜賀眾後代這件事

所謂雜賀眾啊敗給秀吉以後最後連鐵炮都上繳了
是墮落到最下層身份的人妳知道嗎？
反~正大家都會死啊
那是
我上次來的時候告訴妳的事情吧
好像是中上健次的書還是誰的書寫到的
好了啦！
那種事隨便啦！
媽媽也是嗎？
男人們現在這時候行刑了吧
我——

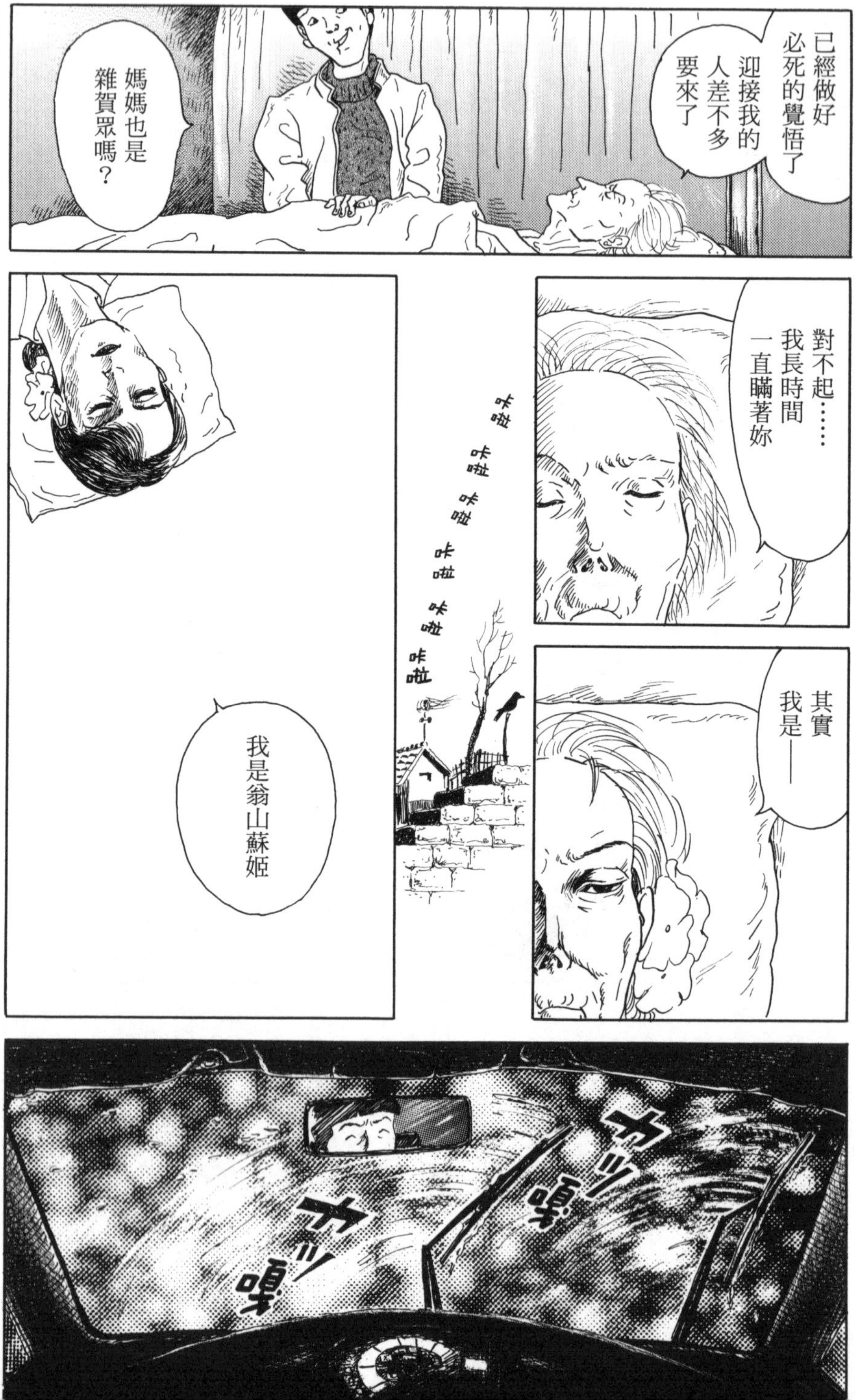
已經做好必死的覺悟了
迎接我的人差不多要來了
媽媽也是雜賀眾嗎？
對不起……我長時間一直瞞著妳
其實我是——
咔啦 咔啦 咔啦 咔啦 咔啦 咔啦
我是翁山蘇姬
カッ嘎
カッ嘎

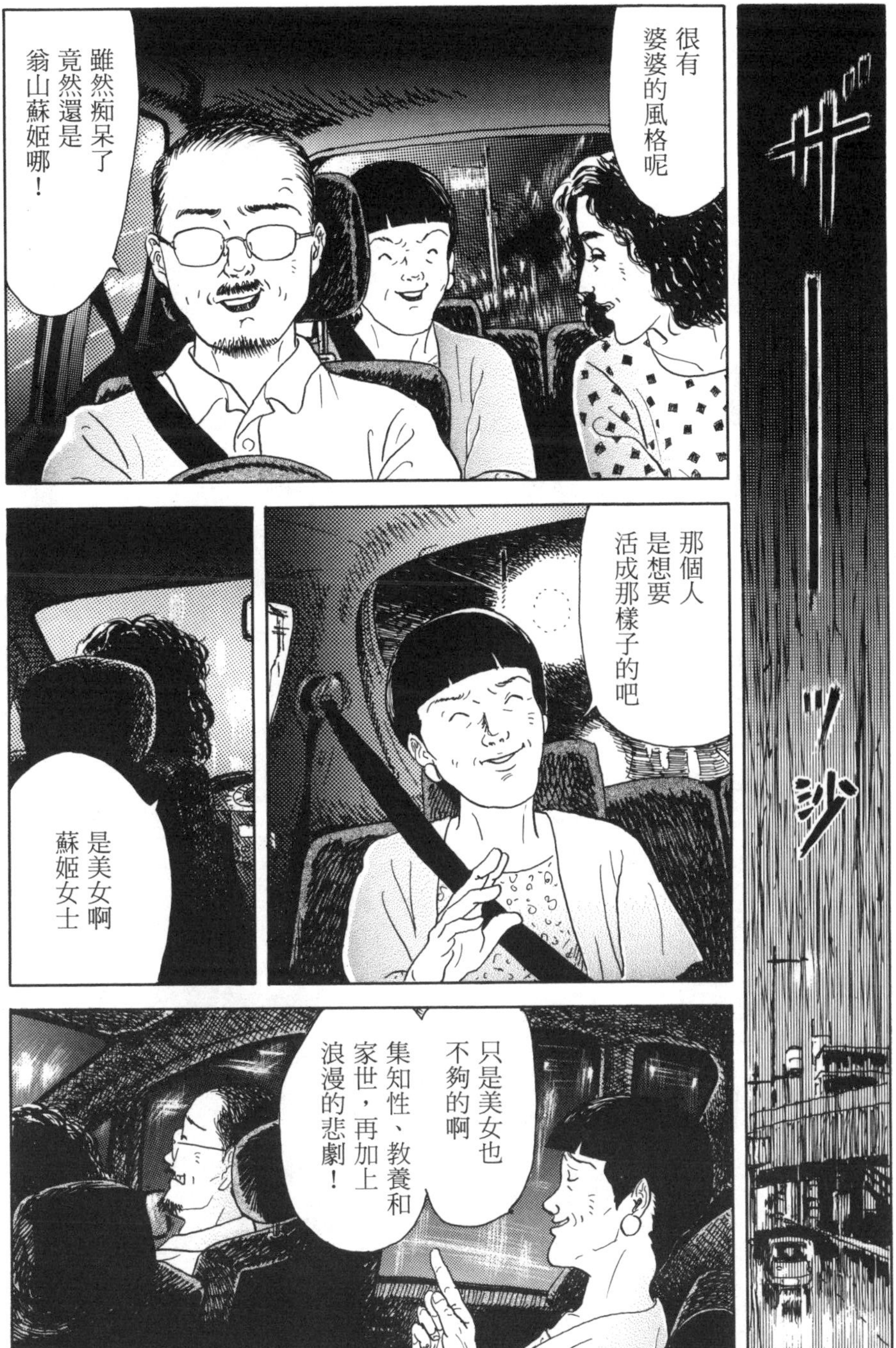
ザーッ
沙
很有婆婆的風格呢
雖然痴呆了竟然還是翁山蘇姬哪！
那個人是想要活成那樣子的吧
是美女啊蘇姬女士
只是美女也不夠的啊
集知性、教養和家世，再加上浪漫的悲劇！

剛倒下來的時候妄想沒那麼嚴重的啊
啊
但是她說過床邊都是石頭很困擾之類的話
啊，對對說過那種事！
是想怎樣啊！那孩子!!
受不了只寄了一堆石頭來！
你看啦！我身邊旁邊全都是石頭吧！
說我？
嗯，她對你很氣喔
可能因為半身麻痺身體很重
所以才會那樣想吧
啊，原來如此她的妄想也是有憑有據的！
出不了醫院所以解釋成被軟禁了！
像是蘇姬女士一樣！

一個接一個輾轉轉到不同的醫院過了……九年呢
所以啊
是你把她帶到外面了用船
用船?!
さぷん
噴濺
好了趕快上船
ゆらり
搖
說要帶妳去溫泉
那是泥船啊!
我全部都知道喔!

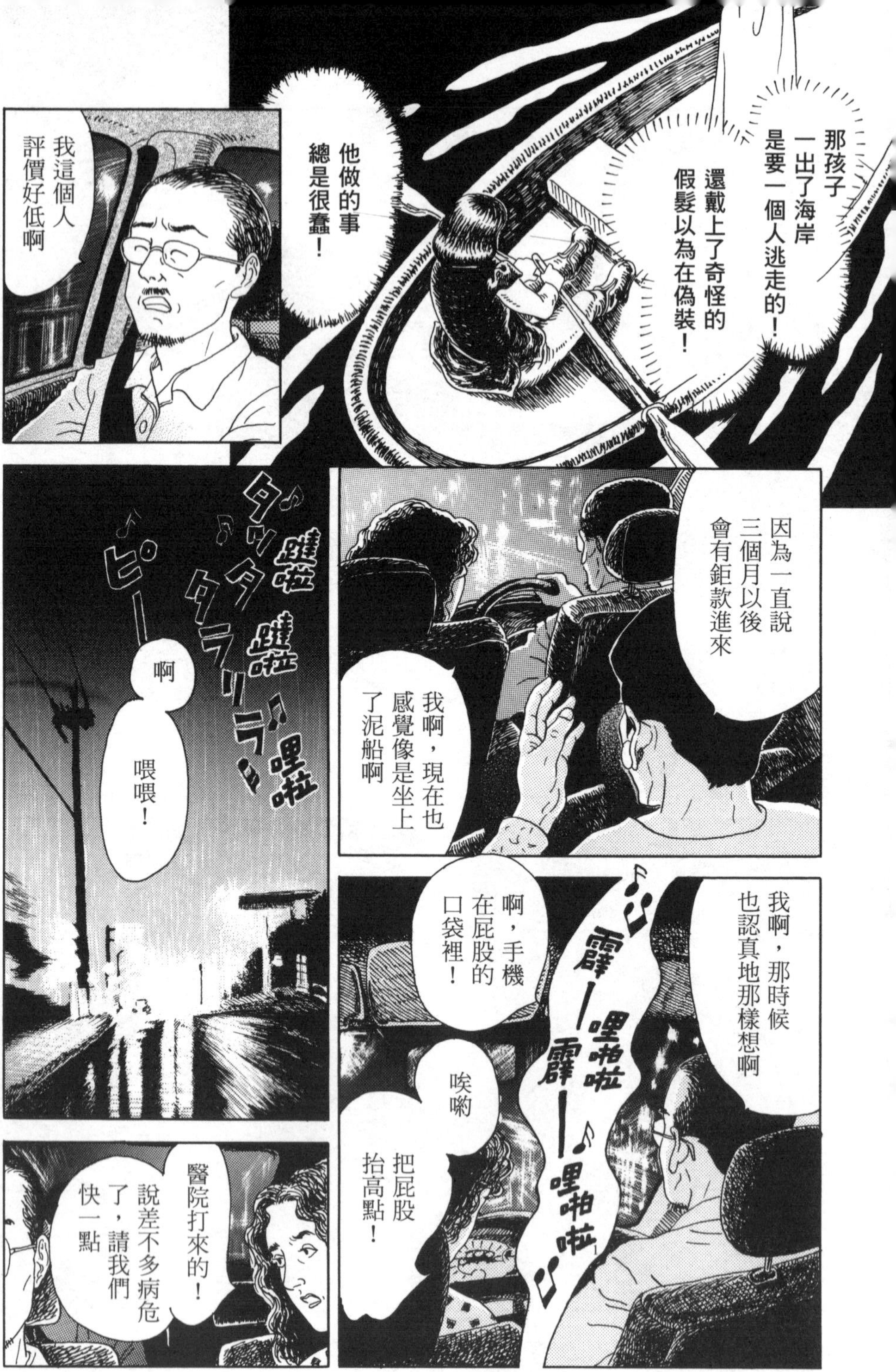

那孩子一出了海岸是要一個人逃走的！
還戴上了奇怪的假髮以為在偽裝！
他做的事總是很蠢！
我這個人評價好低啊
因為一直說三個月以後會有鉅款進來
我啊，現在也感覺像是坐上了泥船啊
躂啦 躂躂啦 哩啦
ピー
啊
喂喂！
我啊，那時候也認真地那樣想啊
霹ー哩啪啦 霹ー哩啪啦[1]
啊，手機在屁股的口袋裡！
唉喲
把屁股抬高點！
醫院打來的！
說差不多病危了，請我們快一點

1 動畫《櫻桃小丸子》的主題曲。

話說你換一下那個來電鈴聲好不好？
蛤？
因為之後是吧有很多……
嗯…也是啦
……
可是啊
人間，終究是會跳舞的胖肚皮啊
那是你說什麼？
跳舞的胖肚皮
這個人啊總是在重要的時刻會說這種不著邊際的話啊
ザー
ザッ
沙
哈
哈
哈
哈
哈

ボコボコボコ
汩汩汩
哈
哈
哈
哈
哈
哈
哈
哈
哈
哈
剛才打給家屬手機了 可是
好像還要花上一段時間
是嗎
那麼 因為我還得看對面的狀況
你再做好吸痰處置喔
好的……
沒來………
誰都沒來!
我明明這麼痛苦!!
那些孩子們兩個人都真的是沒用!!
嗡—
嗡……
嗡……
吸

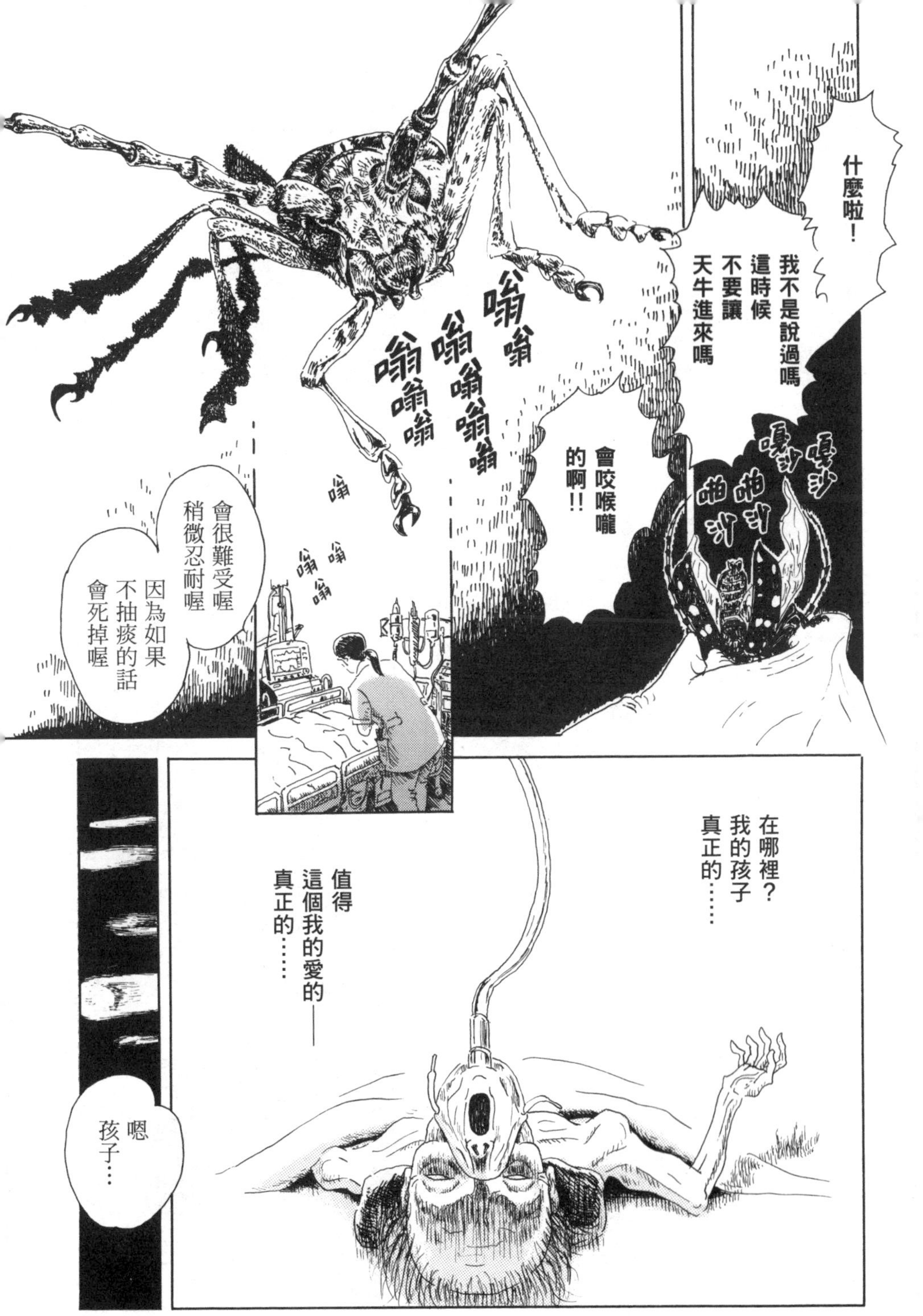
什麼啦！
我不是說過嗎
這時候
不要讓
天牛進來嗎
會咬喉嚨
的啊!!
嗡嗡
嗡嗡嗡嗡
嗡嗡嗡
嘎沙嘎沙
啪沙啪沙
會很難受喔
稍微忍耐喔
因為如果
不抽痰的話
會死掉喔
嗡
嗡嗡嗡
在哪裡？
我的孩子
真正的……
值得
這個我的愛的
真正的……——
嗯
孩子……

她沒說過生了嬰兒嗎？
連名字都取了呢
哈哈哈
叫做小光喔
是三天前出生的
不過我都這樣了所以寄養在別人那
那個啊她可能是誤會了喔
似乎是便秘了很久
那在昨天——
一下都出來了……
討厭啦！婆婆這個人！
這種時候笑她很不好意思
但她幫大便取了名字哪！

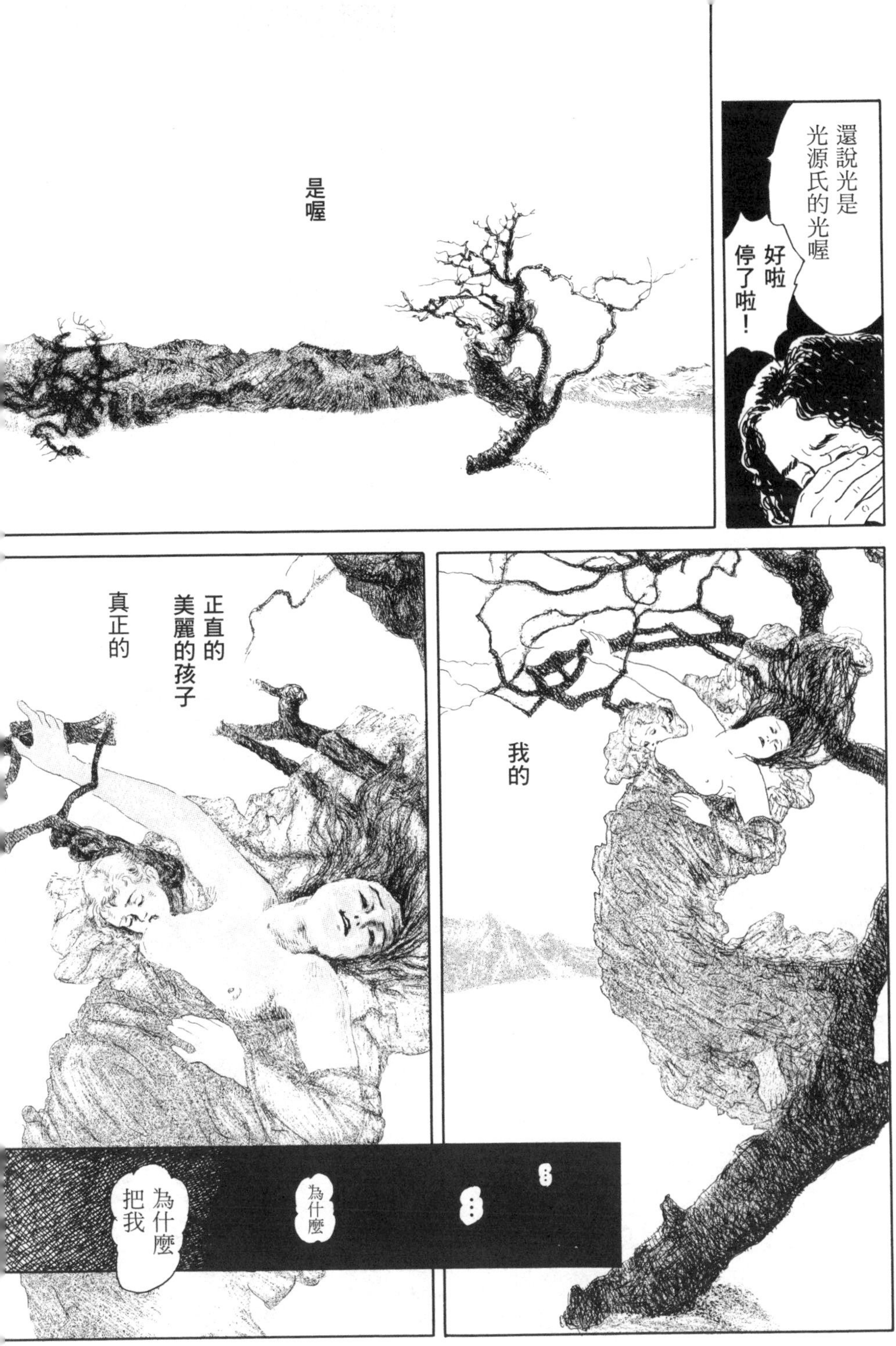
還說光是光源氏的光喔
好啦
停了啦！
是喔
我的
正直的
美麗的孩子
真正的
為什麼
為什麼把我

為什麼
把我
拋棄了？
明明我
沒有你
活不下去的
啊啊……
配得上
我的愛的
真正的
世界……

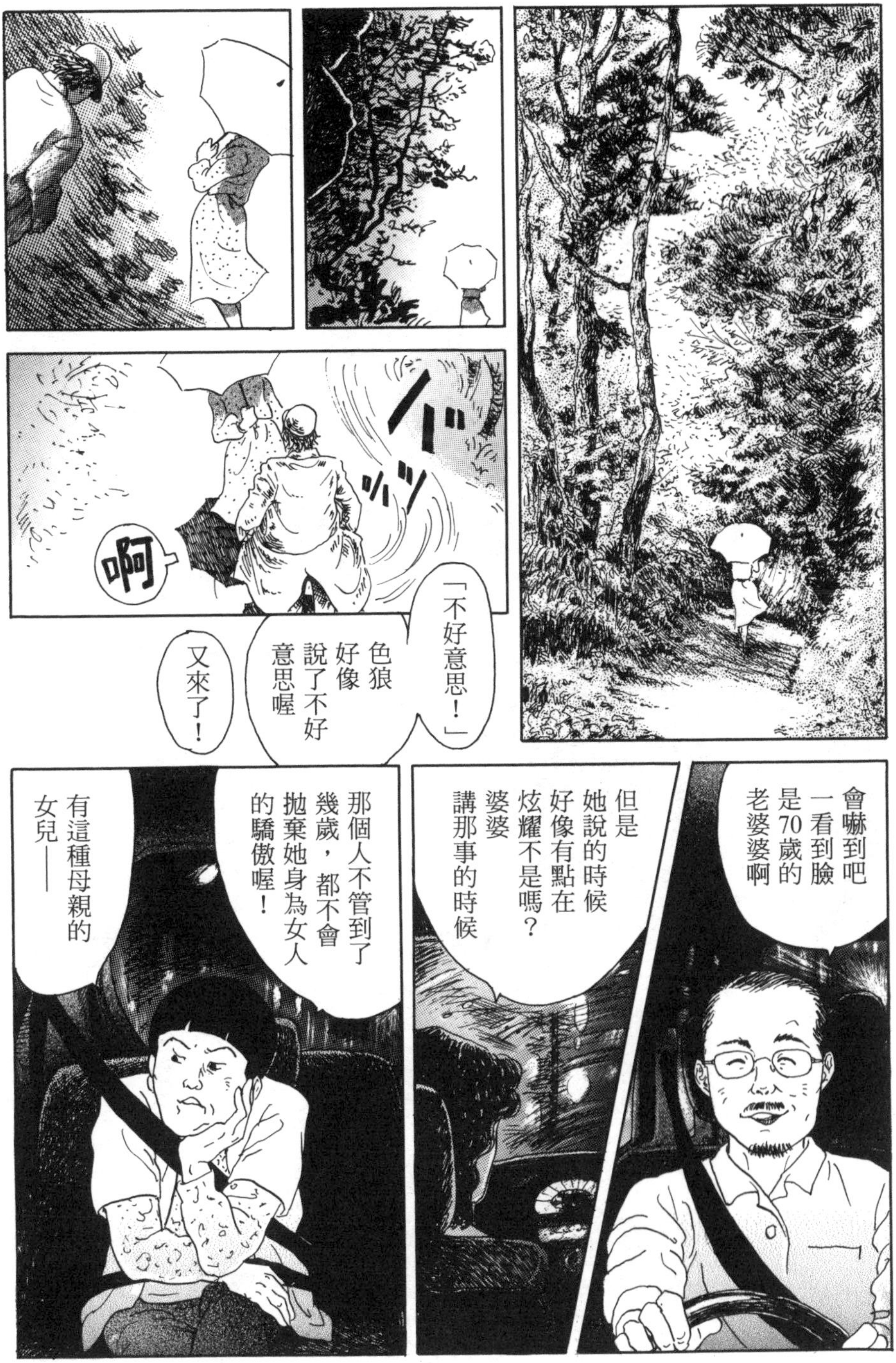
啊
「不好意思！」
色狼好像說了不好意思喔
又來了！
會嚇到吧一看到臉是70歲的老婆婆啊
但是她說的時候好像有點在炫耀不是嗎？
婆婆講那事的時候
那個人不管到了幾歲，都不會拋棄她身為女人的驕傲喔！
有這種母親的女兒——

好像總會畫畫漫畫或是寫寫文章那類的
佐野洋子女士也很討厭她媽媽吧
她非常受不了自己的媽媽
誰？
畫了繪本「活了百萬次的貓」的那個人
很有名喔
是喔……

但是，洋子女士最後用眼淚大和解了
和那個失智以後完全變成可愛老婆婆的媽媽和解了

我們的媽媽唯一好的地方呢
就是她直到最後連一點可愛的碎片都沒有！
事到如今和解什麼的更是甭談了！

失智還不如說是剝了一層皮啊
那種性格
嗯！
因為外在的體面完全沒了
就更暴露出本性了啊
可愛？

是啊
如果能跟隔壁的花田女士一樣是可愛的老婆婆
大家也會更能舒心地照護了吧
喂！
可愛是指什麼啊
本來可愛是上位者看下位者用的語言喔
我可不想被像妳那種程度的人評論什麼可不可愛的
啊是嗎
不好意思
唉呀，婆婆您啊
沒關係喔我們被說習慣了
哈哈
妳啊
那樣不行喔對什麼都愛生氣
妳是被利用了喔

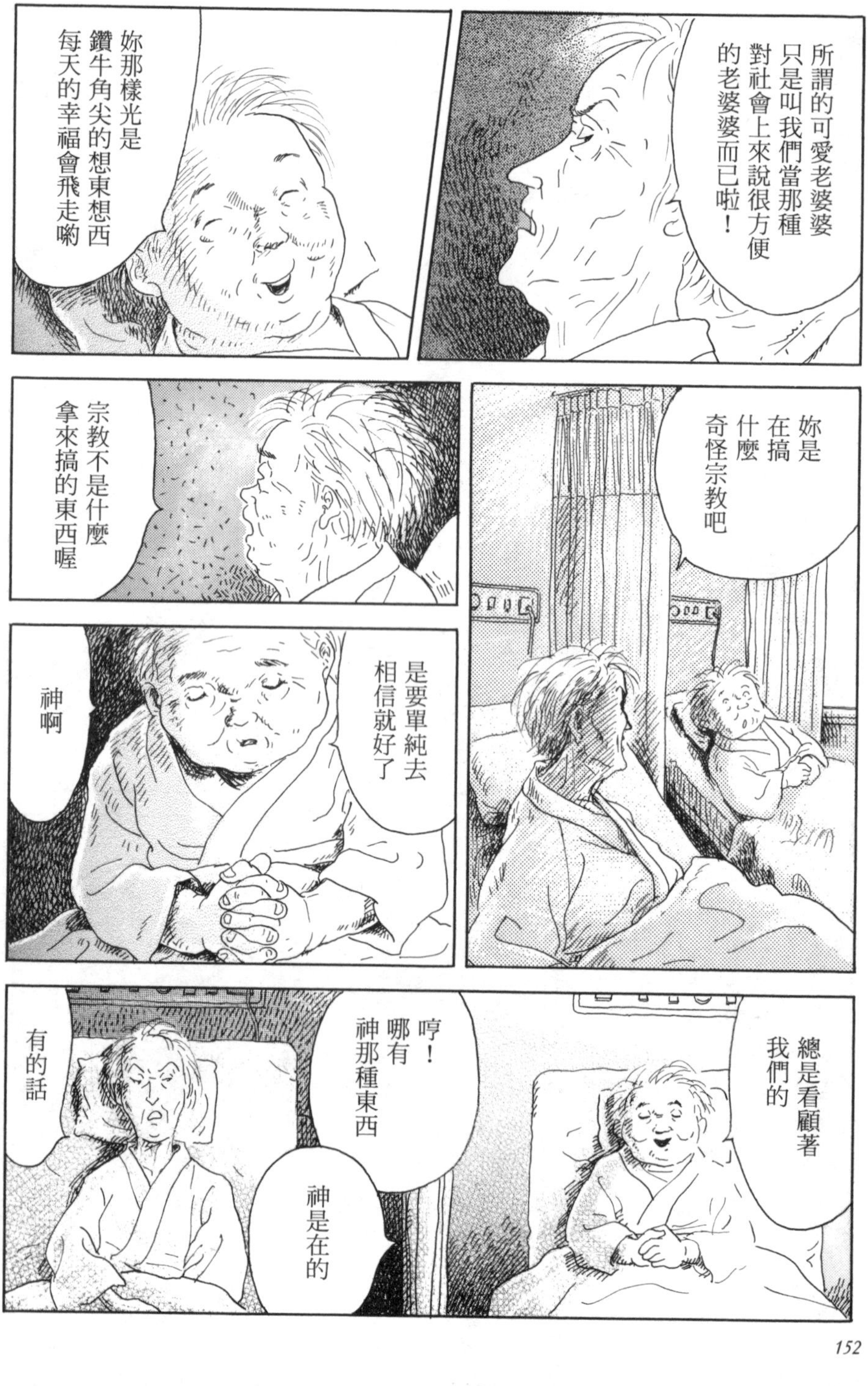
所謂的可愛老婆婆只是叫我們當那種對社會上來說很方便的老婆婆而已啦！
妳那樣光是鑽牛角尖的想東想西每天的幸福會飛走喲
妳是在搞什麼奇怪宗教吧
宗教不是什麼拿來搞的東西喔
是要單純去相信就好了
神啊
總是看顧著我們的
哼！哪有神那種東西
有的話
神是在的

為什麼我會待在這種地方啊！
為什麼我必須活成這樣啦!!
開什麼玩笑！
神
是在給我們考驗喔
所以妳這個人
從早到晚說什麼感謝感謝很恭順的當好人呢
簡單說來妳這個人很貪心啦！
很貪心——？
我是曾經被說過太缺乏欲望了
很貪心這種話我一次都沒被人說過喔！
妳這人哪

像那樣拚了命
在神明的腳邊
累積存款
想著上天堂
最貪心就妳啦！
可是啊
不好意思
沒什麼
天國啦！
……
像妳這樣的人
一定
會馬上
被船載走的
船？
我早就
坐上
那種東西了！
死神來迎接
的船喔
穿著白衣——

把還有氣息的妳放進白色棺材
帶到死亡之島喔
啊～～受不了!!
討厭死了妳們這兩個！
說到天國妳們講不出什麼厲害的事
講到地獄具體到讓人發愁！
不是地獄喔是死亡之島
啊啊!!
那種事隨便啦怎樣都好
反正又不存在啊!!
天國也是死亡之島都是啦！
死了以後……
就是牛蒡！

完全是個牛蒡
那個啊果然還是可以治感冒啦這種時候好像還是要那個
想了想還是絕對要牛蒡喔
她是那種胡言亂語失語症的狀況
她本人應該自以為自己好好地在講話喔
吵死了
是說啊
妳說的話，不管什麼時候，除了牛蒡以外都是莫名其妙聽不懂啊!!
那一位啊好像賣牛蒡賣了很久所以這樣
啊，是這樣啊，所以……

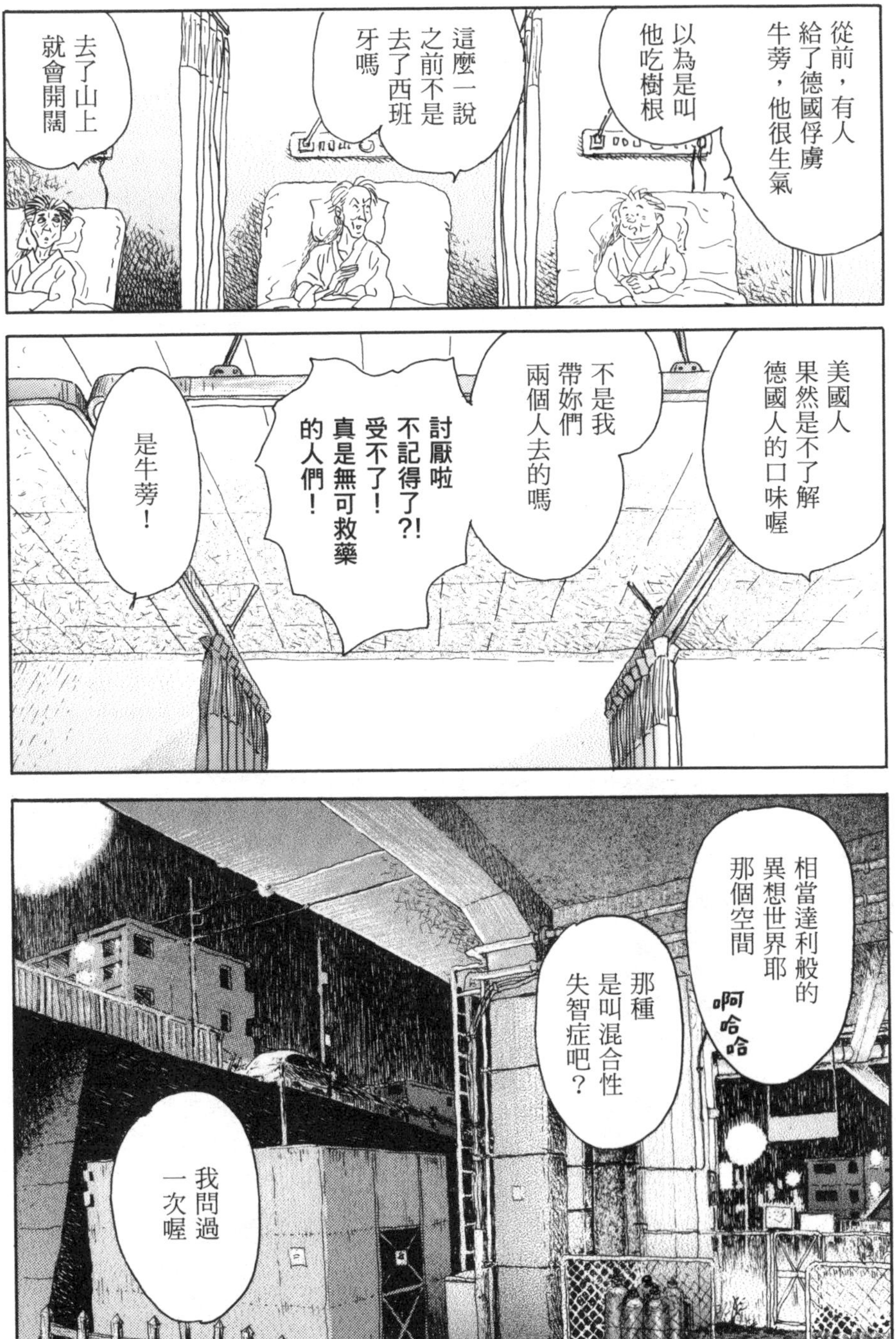
從前，有人給了德國俘虜牛蒡，他很生氣
以為是叫他吃樹根
這麼一說之前不是去了西班牙嗎
去了山上就會開闊
美國人果然是不了解德國人的口味喔
不是我帶妳們兩個人去的嗎
討厭啦不記得了?!受不了!真是無可救藥的人們!
是牛蒡!
相當達利般的異想世界耶那個空間
啊哈哈
那種是叫混合性失智症吧？
我問過一次喔

之前是不是說過要判死刑了？
……
……
不過呢
這次的這件事真的是真的啦
我呢在聖誕夜整晚都被吊在家前面的樹上喔！
又來了是我吊的吧！
啊哈哈
她說的家前面的樹指的是院子裡那小樹嗎
嗯～
畢竟是妄想啊
那是那件事吧
那個時候的

孫子哪
在百元店找到的
因為是聖誕
所以給了他
百元店的東西，最近也有很多做得很好的。
看吧！
你說的百元店是什麼意思啊
全部賣一百元的商店的意思
……
因為說只有百元，她的臉色就難看了！

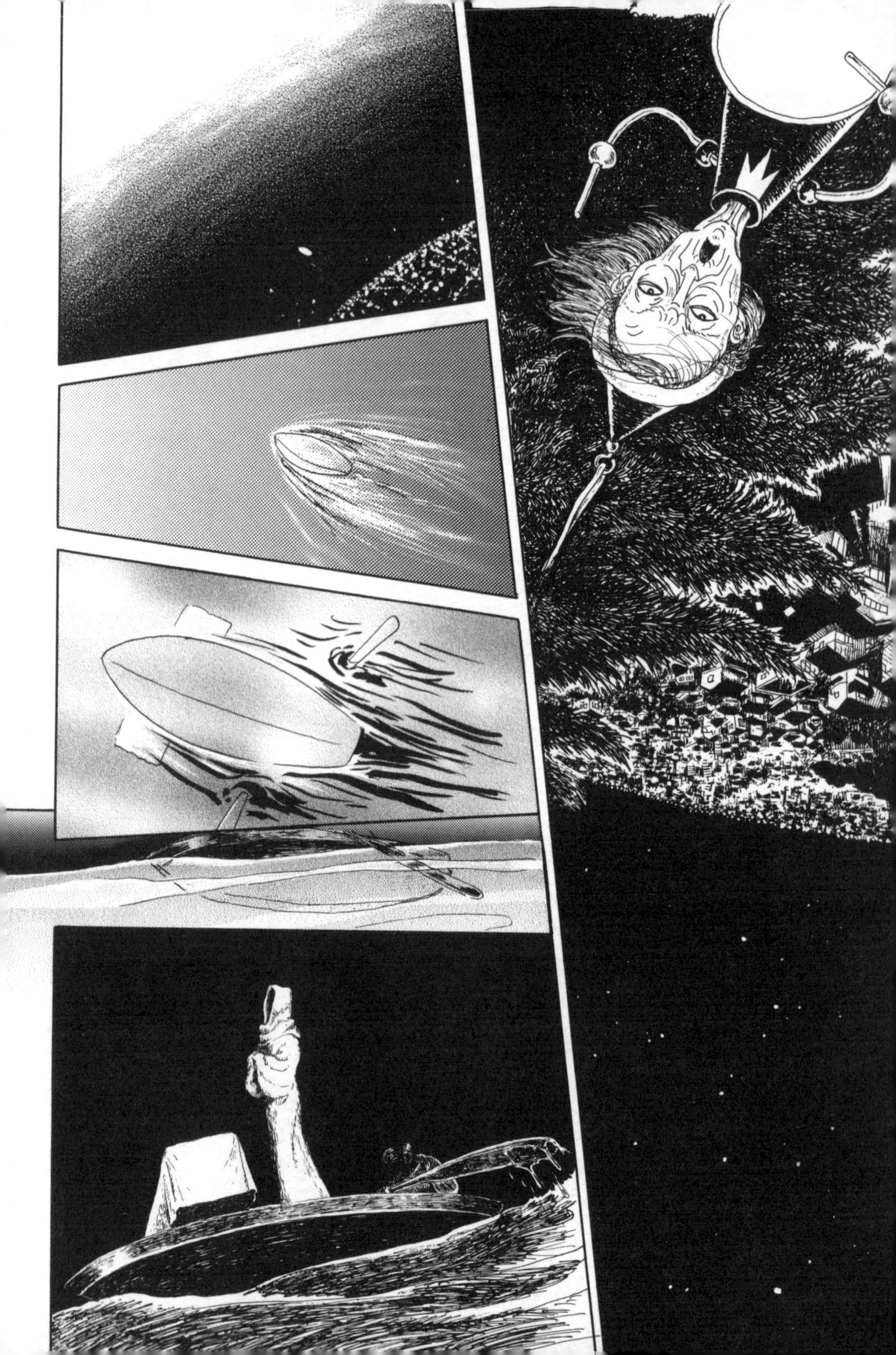

不過那個老頭
也真能忍啊
忍到最後
……
我啊
最近一直
在想
對認真努力
的女人
男人是感受不到
什麼魅力的
被性格惡劣
任性的女人
吸引的男人
其實相當多呢
野村
導演嗎
啊哈
那也是
呢！
可是
岳父這個人
基本上
因為很溫柔
溫柔個屁啊！

那個人只是總想著沒事就是好事！
因為個性懦弱討厭對立而已
對任何事都先想著要逃
所以一輩子出不了頭永遠領低薪
我媽說我們是受了多少本來不用受的苦頭啊！
她只有回家一次不是嗎
還能坐輪椅的時候
帶回來是還好但要讓她回醫院很麻煩啊！
要讓我回到那種地方的話我寧願去死還比較好！

你乾脆殺了我好了！
那時候我不是去了你們那邊「挖屎」嗎
沒辦法我是對那種事最無所謂的女兒啊
那麼一來已經是物品了啊
……
對家裡人來說就沒辦法
真的只當做物品這一點就是問題所在了吧
如果是別人的話也就算了

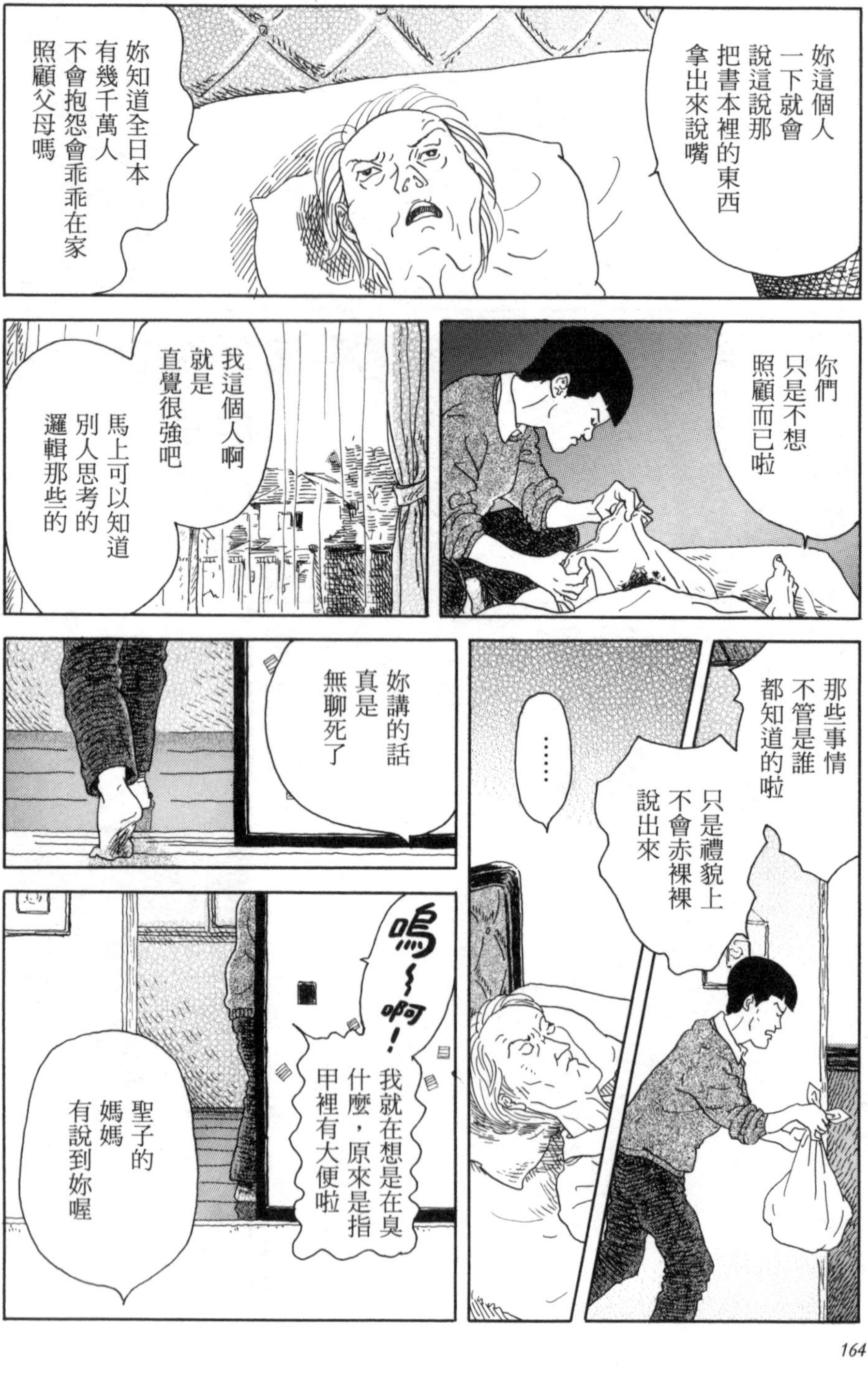

妳這個人一下就會說這說那把書本裡的東西拿出來說嘴
妳知道全日本有幾千萬人不會抱怨會乖乖在家照顧父母嗎
你們只是不想照顧而已啦
我這個人啊就是直覺很強吧
馬上可以知道別人思考的邏輯那些的
那些事情不管是誰都知道的啦
只是禮貌上不會赤裸裸說出來
……
妳講的話真是無聊死了
嗚～啊！
我就在想是在臭什麼，原來是指甲裡有大便啦
聖子的媽媽有說到妳喔

她說以為妳長大以後會變得稍微好看一點結果沒有
邏輯什麼的就連我也是知道啊
她的思路就是我講的話跟我的臉一樣無聊！
啊～～！
對快死掉的人我又暴怒了！
在講贏她以前妳也絕對不會讓呢
因為婆婆沒在外面工作過所以可以一直那樣任性下去
對啊！像我為了一口飯都要迎合編輯呢！
鋼琴教室也一樣哦連沒什麼好誇的小孩子都要稱讚
甚至連小孩的媽媽我都要拚命找出能讚美的地方
ね。是吧
我也是啊

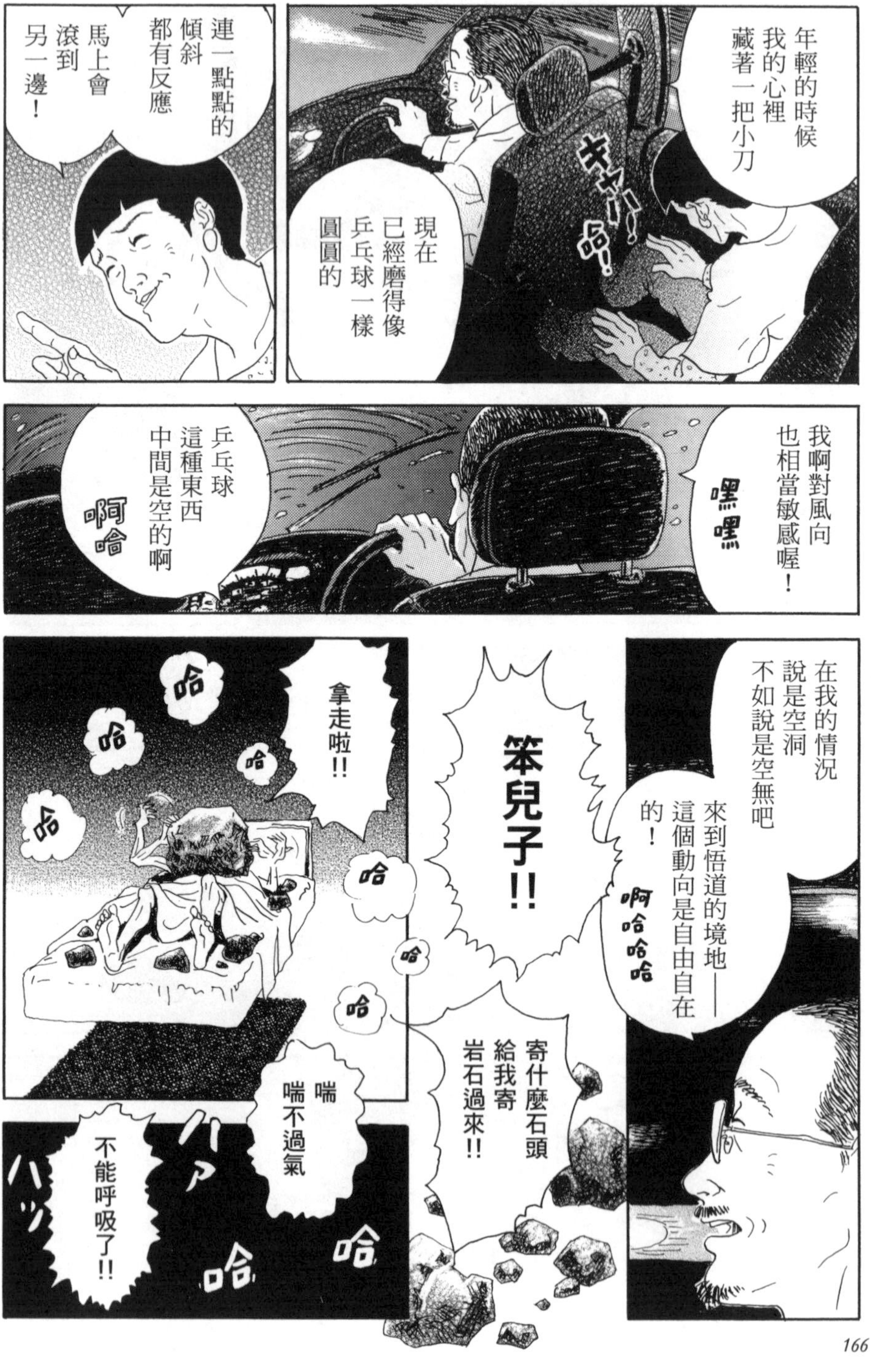
年輕的時候
我的心裡
藏著一把小刀
哈!
現在
已經磨得像
乒乓球一樣
圓圓的
連一點點的
傾斜
都有反應
馬上會
滾到
另一邊!
我啊對風向
也相當敏感喔!
嘿嘿
乒乓球
這種東西
中間是空的啊
啊哈
在我的情況
說是空洞
不如說是空無吧
來到悟道的境地——
這個動向是自由自在
的!
啊哈哈哈
笨兒子!!
拿走啦!!
哈
哈
哈
哈
哈
哈
哈
寄什麼石頭
給我寄
岩石過來!!
喘
喘不過氣
不能呼吸了!!
ハァ
ハッ
哈
哈

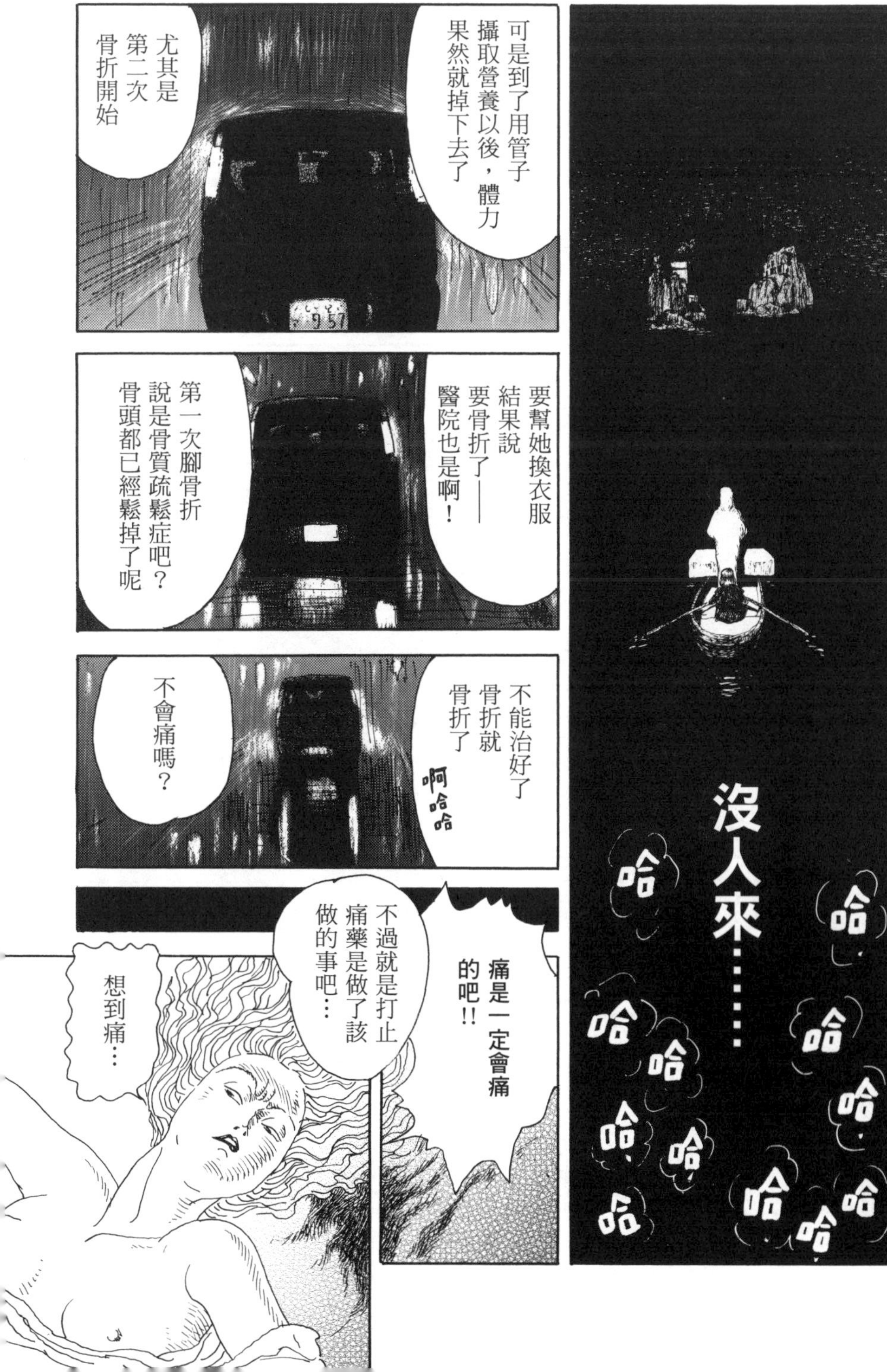
沒人來……
哈 哈 哈 哈 哈 哈 哈 哈 哈 哈 哈 哈
可是到了用管子攝取營養以後，體力果然就掉下去了
尤其是第二次骨折開始
要幫她換衣服結果說要骨折了——醫院也是啊！
第一次腳骨折說是骨質疏鬆症吧？骨頭都已經鬆掉了呢
不能治好了骨折就骨折了
啊哈哈
不會痛嗎？
痛是一定會痛的吧!!
不過就是打止痛藥是做了該做的事吧…
想到痛…

小光？是你嗎?!
結果你也沒落得什麼好下場呢！
碰
為什麼
蠢動
蠢動
為什麼妳…
拋棄了我

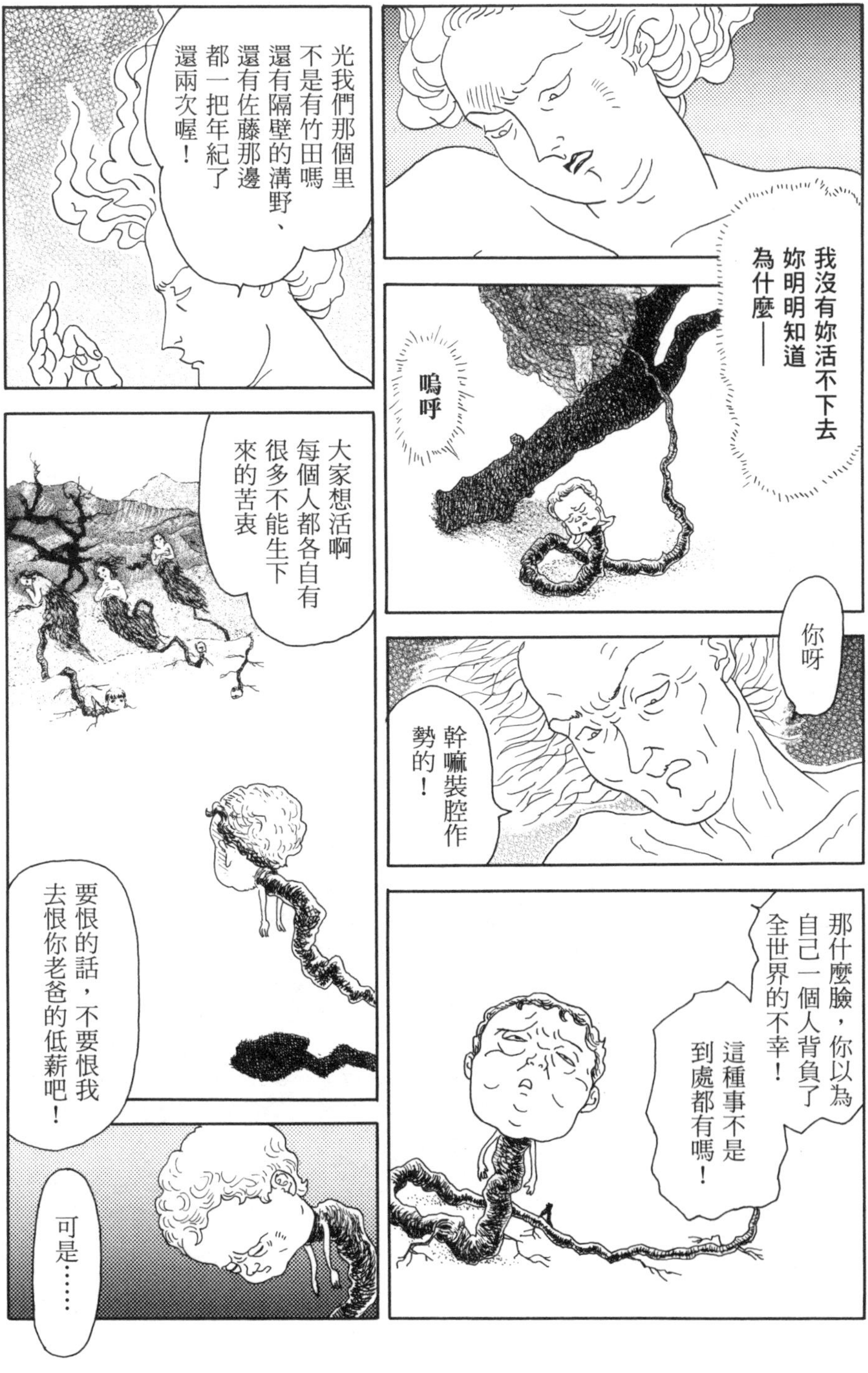
我沒有妳活不下去
妳明明知道
為什麼——
光我們那個里
不是有竹田嗎
還有隔壁的溝野、
還有佐藤那邊
都一把年紀了
還兩次喔！
嗚呼
你呀
幹嘛裝腔作勢的！
那什麼臉，你以為自己一個人背負了全世界的不幸！
這種事不是到處都有嗎！
大家想活啊
每個人都各自有很多不能生下來的苦衷
要恨的話，不要恨我去恨你老爸的低薪吧！
可是……

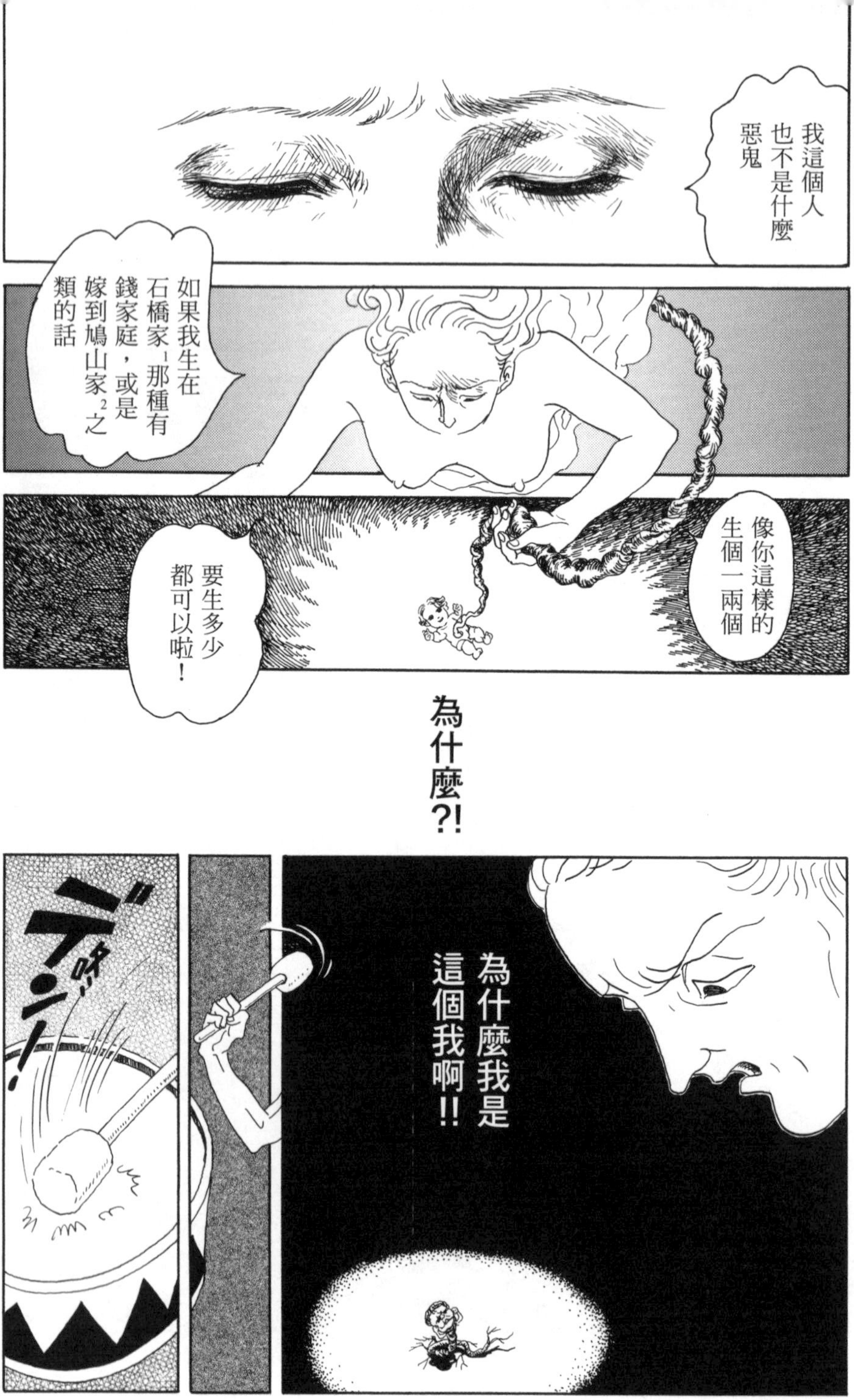
我這個人也不是什麼惡鬼
如果我生在石橋家1那種有錢家庭，或是嫁到鳩山家2之類的話
像你這樣的生個一兩個
要生多少都可以啦！
為什麼?!
為什麼我是這個我啊!!
咚

1日本的財閥家族，初代石橋正二郎創立「普利司通」公司，是橡膠業大亨。

2日本的政治家族，與石橋家有複雜的聯姻關係，鳩山一郎（1883-1995）與鳩山由紀夫（1947-）曾任內閣總理大臣。

咚 咚
咚
其實
岳母也許是
最正直的人
因為
大家都用各種方式
讓自己
接受現實……
命運或者
出身
是絕對
不公平的

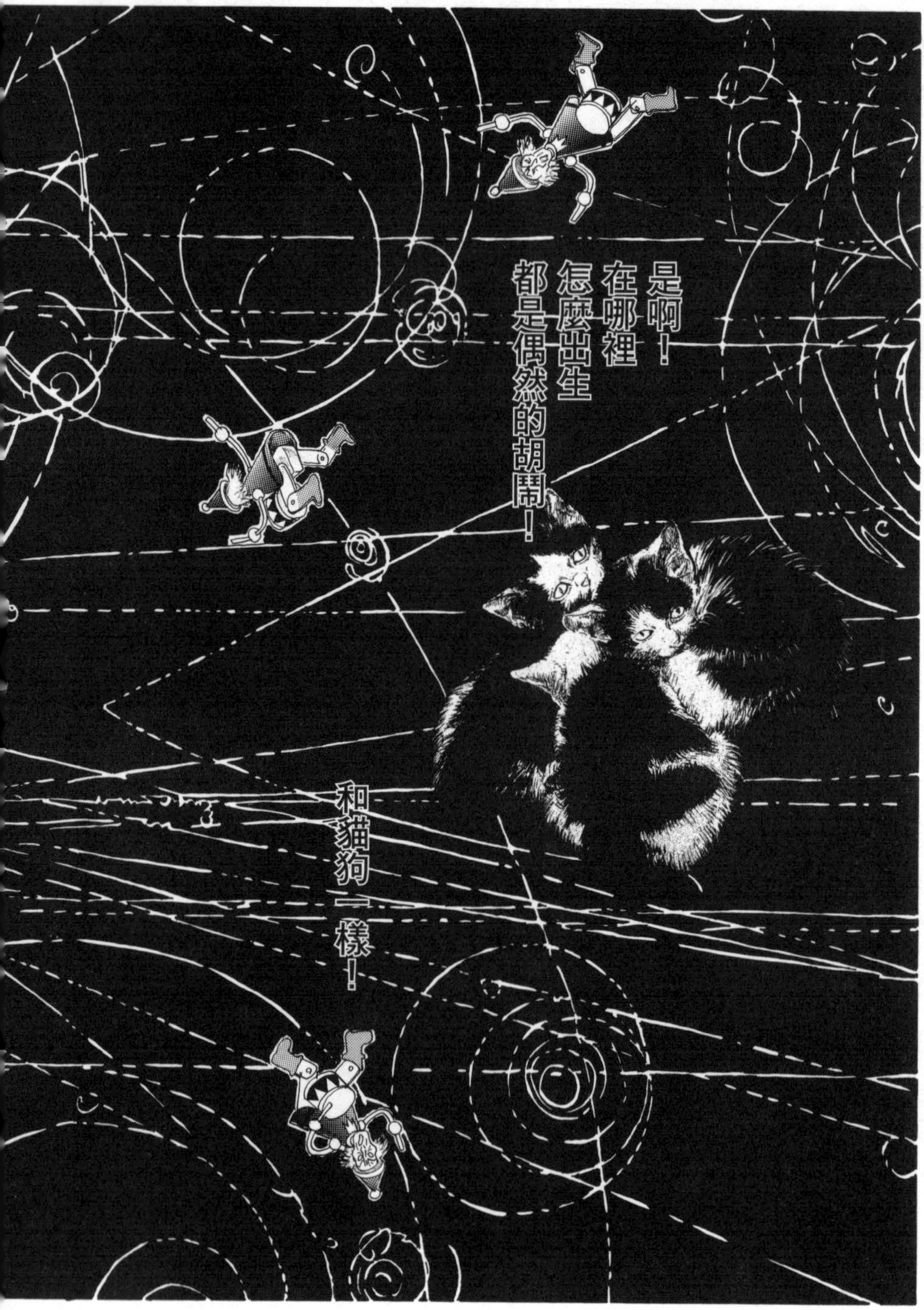
是啊！
在哪裡
怎麼出生
都是偶然的胡鬧！
和貓狗一樣！

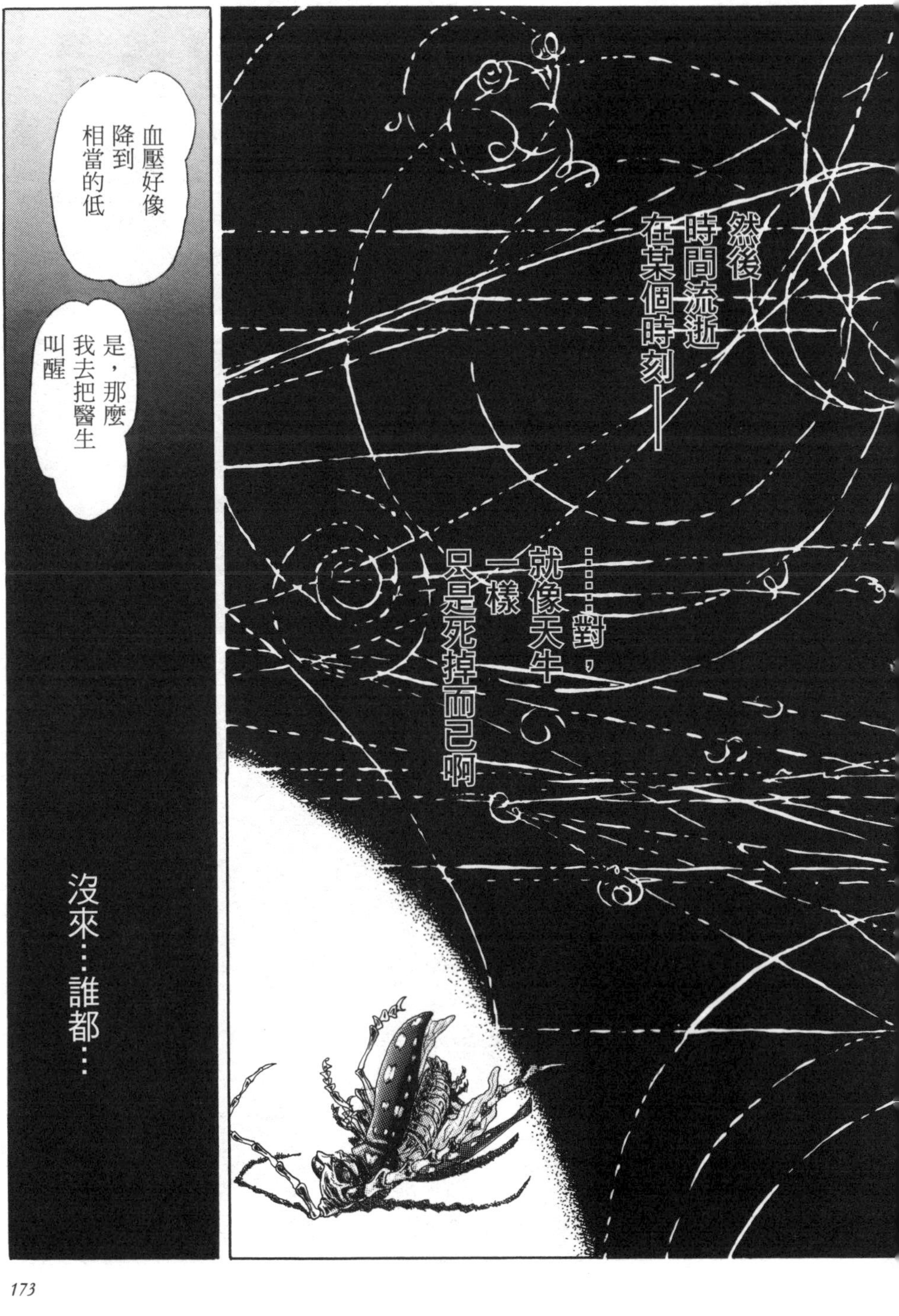
然後
時間流逝
在某個時刻——
……對，
就像天牛
一樣
只是死掉而已啊
血壓好像
降到
相當的低
是，那麼
我去把醫生
叫醒
沒來……誰都……

1 1888-1982，為創辦共立女子大學之教育家，鳩山一郎之妻，去世後敘勳正四位。

怎麼可能
有那種地方啦!!
我將要——
一個人孤獨的去死了!!
死掉的話

♪ピーヒャラ♪霹ー哩啪啦♪

躂啦躂
躂啦哩啦
霹ー哩啪啦
霹ー哩啪啦
肚子餓了喔……
趕不上哪…

孤獨死之館

喂！看得到窗戶喔！
——嘖
虧他能住在這種垃圾山裡啊！
喔，已經裝滿了嗎!!
嘿咻來！
已經裝不下更多啦
啊啊不行！
要先回處理中心一次淨空垃圾以後再裝一次…不，裝兩次吧
繼續工作！

這是怎麼一回事
死了啦！
二樓的——啊啊你不知道哦，是最近搬過來的吧
是的上個月
這個人是滿鐵[1]大小姐！
蛤？
橡實館的人——你看，不是有嗎，像是老人用兒童館之類的社福機構
ピッピッピッ
嗶嗶嗶
那位呢每天都會來，不過館裡的人說他五天都沒露臉了
所以就進去看啦結果死在那垃圾山裡！
那位那位叫做滿鐵大小姐的？
哈哈！
是這個人取的綽號啦！

1 1906年設立的南滿洲鐵道株式會社，為半官半民的公司，是戰前日本經營滿洲的重要公司，簡稱「滿鐵」。

是姓什麼來著
那位老婆婆
不知道啦就是不知道，所以那樣叫她嘛
……
對了，我有照片喔
為什麼！
我老是想她一分鐘是能前進多少啊
這位，走路非常慢喔
就這樣每天她都會去橡實館
哈！
這個人！
妳拍的這照片變成遺照了……
說到滿鐵
是戰爭時期滿洲的
滿鐵?!

她說她父親是那邊的高層
以前過著超級大小姐的豪華生活！嗯，本人是那麼說的喔
滿鐵大小姐……
碰
糟了!!
我剛煮了紅豆的餡!!
就是那種人！
那麼，我去買東西
啊，那個這裡有貓對嗎
我有飼料
妳看那裡
小權！

啊，是這位太太嗎！
ポリポリ
喀哩喀哩
我正想著，最近有人在餵這隻貓
不能餵嗎
我就是給一點飼料而已
ア゛ァーーッ
嘎
不 非常感謝
……那就這樣

カチャカチャ
咔掐咔掐
那接下來就是貓碗
ジャーッ
沙
蛤—!!
你又剩這麼多!
……
真是沒辦法，明天，再拿去給樓下的貓咪嗎……
啾……
啊，是這位太太啊!
我正想著，最近有人在餵這隻貓
……咦…那個……
我就是給一點飼料而已
不 非常感謝
……那就這樣

……
你好
你好
唉呀，又給小權餵飯嗎？
啊 妳好
牠住在那個腳踏車車籃裡
之前還有一隻白貓可是最近死掉了
兩隻主要都是剛剛那個男的在餵飯的
是很不錯的人，可是有點怪怪的
啊
果然有點怪?!
對啊 所以我
都叫他紫星人
紫…

紫星人？
加上他的襯衫！現在不也是淡紫色的嗎
他總是穿著那種顏色喔！
那位有點可以算是外星人那類的吧
呵呵
哈……
啊呀，妳果然也養貓耶
妳有幾隻？
一隻……
我家有四隻
四隻！也太辛苦！
就算只有一隻，也對食物很挑食呢
貓就是這樣
但是最辛苦的是貓砂！
很重！
咦，那是貓砂？
——這樣的話我最近會去買貓砂什麼的
我開車！可以的話就一起吧
真的嗎？太開心了！

噗嚕嚕嚕…
哎喲！是紫星人耶
每天他給小權餵飯以後就會去前面的公園「掏砂」喔
「掏砂」？
那個人也養貓喔有一隻
貓廁所的砂他不用買的是去兒童公園的砂池掏的
看得到那個小小的手提袋嗎？
裡面放了小小的貓砂罐
呵呵，很窮啊
那裡住的人都很窮全部都是獨居老人
包括我也是
那麼

我也有很充分的資格住在那裡啊
啊哈哈
哎唷！
妳還有車耶很有錢了
有錢?!
這是我弟不要給我的破爛輕型車！
嘿嘿
啊，如果妳會開車的話我隨時可以借給妳喔
開車……我不會耶
腳踏車呢？
不會騎腳踏車的練習很費力吧？
從小時候開始我對這種的就很沒辦法
騎馬的話還稍微學過一點
騎、騎馬?!
騎馬的話
買東西派不上用場
……

出口
真是得救了！謝謝妳
用完的話妳再跟我說 反正，我也會過來買的
那 妳畫漫畫嗎？現在也是？
現在的話可以說，已經畫不下去了
有年紀以後完全沒辦法好好說一個故事了…
首先，簡直完全都沒工作了
哈哈
哎呀 漫畫那類的工作也是會這樣嗎
我呢 已經蠻久之前了 本來想再去上班——也是沒錢了
可是全～部沒上喔！
畢竟年輕又水嫩嫩的人也來了很多 沒辦法的嘛 上了年紀

ザッ
沙
漫畫界也都是水嫩嫩的人
喂 怎麼辦！
我也馬上要去掏沙了吧！
您好 總是受您照顧了
謝謝
謝謝
明天會再來接送的！
謝謝
謝謝您
嗯
嘿咻!!
……
這個人真是的!!
?

所以說，我放到箱子裡拿到環保中心了！
不是給你看了嗎！
不記得了嗎，你!!
連花都放了進去！
什麼事？
明明什麼都是我做的!!
他問說知不知道白貓的事！最近沒看到牠
啊，之前不是說死了嗎
一開始你跑到我家這裡來說了吧!!
說小白死在那邊斜坡下面!!
・・・・・・・・・・・・
事情變成這樣……

……
我感覺如果有STAP細胞就好了
在說什麼！！蠢話啊！這個腦袋不清楚的呆子!!
光記得那種誰都已經不記得的莫名其妙的事
我做的我幫忙做的事全部都忘了嗎!!
STAP細胞
先走了
妳這樣不行喔
這樣不分青紅皂白
我是大概知道妳想講什麼啦
終於來了
請你先請！

謝謝妳
不好意思！
謝謝妳
上
謝謝
謝謝
這種話我一天
要講幾百次啊！
什麼啊
就三十次
左右啊
……

啊
小權已經吃了嗎
嗯，現在這個人……啊
前一陣子下雨砂坑的砂都濕了要曬很乾才可以喔！
看他那樣，很意外，他是喜歡小孩的喔
他常常一直看著小朋友們玩耍
我覺得可能不是

1 稻垣足穗，1900-1977，小說家，代表作有《一千零一秒物語》、《少年愛的美學》。

ピーポーピーポー
ピーポーピーポー
ピーポー
喔—咿—喔—咿—
喔—咿—
哈！哈！
啊！
又是誰倒下去了！
就是那樣!!
突然按電鈴叮咚來到我家了！
說什麼本人這次搬到這裡還望您多多指教
住進滿鐵大小姐那戶的人
咦……
畢竟住在這種地方對本人來說是生平第一次
我家呢我家是在橫濱那邊
她講了這些！在門半開的狀態下囉囉嗦嗦講了30分鐘
我也見到她了

在電梯的前面
會搬到這裡好像是
她兒子工作換到這附近
說是為了要照顧他
然後啊她脖子的地方有一條一條的皺紋喔！
超厲害的喔!!
有點像是鬥雞呢
鬥雞?!
咕咕
所以呢我決定叫她鬥雞女士
啪！
取得好！

等等喔
現在……
……
鬥雞女士
……
不是
我本人呢
住到
這種地方
實在是
第一次
不
我家在
橫濱那邊
的喔
喔…
蛤…
鬥雞女士
來到
這邊……
滔滔不絕
然後…

咕
我兒子的工作換到這邊了
咕
咕
我本人不得不照顧他
咕
不是啦 媳婦有點靠不住呢
咕咕咕咕咕
咕咕咕咕咕咕咕咕
咕咕
咕—咕—咕—咕—咕—咕
咕
接下來，我去一下百貨公司買東西
咕咕咕
咕咕咕咕
那麼我本人有急事
咕
先走一步抱歉了
‧‧‧‧‧‧
‧‧‧‧
‧‧‧‧‧‧
ドサッ
涮
蛤‧‧‧

哈哈哈哈哈哈
哇—
傻—瓜—!
就說不是啦!
啊哈哈
飄
飄
飄
ヘックシ
ジョイ
哈啾—
咻—

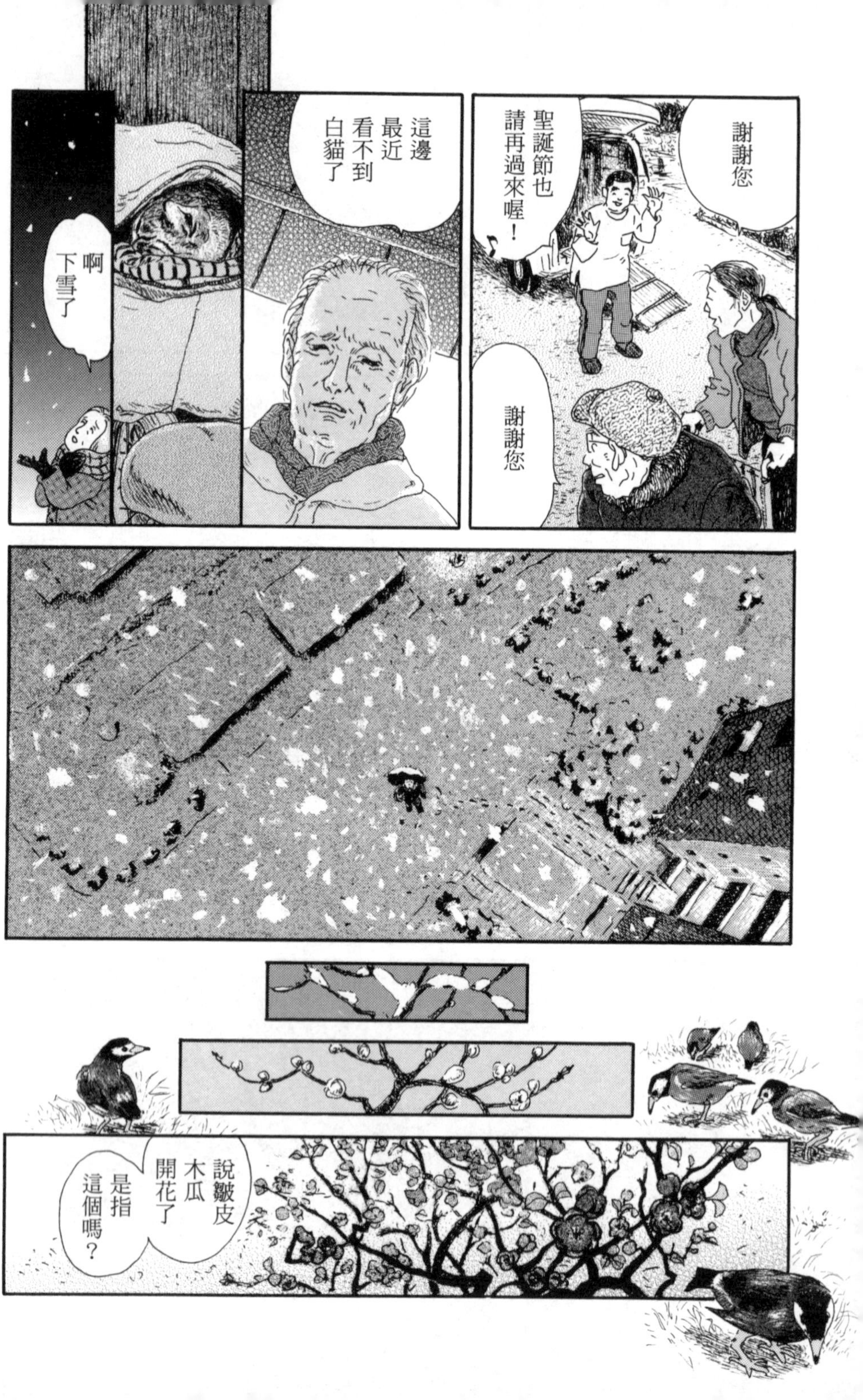
謝謝您
聖誕節也請再過來喔！
謝謝您
這邊最近看不到白貓了
啊 下雪了
說皺皮木瓜開花了是指這個嗎？

我每年
看著
都以為是梅花
我是覺得
是「痴呆」
ぶつ
ぶつ
碎碎念
碎碎念
對～啦!!
俺是
要講的時候
就會講的
那種人啦!!
最近
那種的
很多呢
ぶつ
ぶつ
碎碎念
碎碎念
碎碎念
是啦，不過
我在家也一直
自言自語
我也是啊
不過，跟貓
一起就好像不是
自言自語了
哈哈

在家跟在外面
講起來一定只是
一步之隔哪
真好耶
那個在哪
買的？
借的
就隔一片
門板吧，
是吧
是吧
反正用不到
很久了嘛
唉呀
小權
ちょっと等一下喂
ちょっと喂!!
ちょっと!!

妳們知道嗎！聽說那個軍雞死掉了!!
好像是胰臟還是腸子哪裡破了喔!!
欸—?!
欸!! 可是，我有遇見她喔！兩三天前
妹妹…
被妳這麼一說…
妹妹啊，那個！為了收拾殘局來的
超像她的！只是沒那麼老
我有想到為什麼今天不是鬥雞是一般雞呢
どうも
你好…
啊！
我也好想看喔！
好像是好幾天都聯絡不上過來過才發現的！
可是呢我覺得有點奇妙喔
因為啊

她兒子！這次也是連個影子都沒有喔
說是要照顧他所以搬了過來
根本看不出那個樣子！
……
我想是——
在跟媳婦的大戰中，軍雞鬥輸了
這麼一說，是有說些壞話吧
像是讓你們知道我搬出這個家你們會多不方便——然後就搬出來的吧？
那個人…
在等兒子接她……一直一直等著然後——
腸穿孔了吧…

結婚這事
不結婚也很辛苦
結也很辛苦耶
滿鐵大小姐
也是
咦！
那個人
有結婚嗎？
她有兒子喔
比大小姐
早一年左右
去世了
因為車禍
之前不是有個
「現代的
貝多芬」嗎
假的
作曲家！
啊
就像是那種
感覺的中年人
從他的樣子
看來，我想是
繭居族
哈
哈
哈
哈
——為什麼

我呢
是艾莉絲喔
妳沒結婚呢？
唉？！
森鷗外小說〈舞姬〉裡的艾莉絲
從德國追鷗外追到日本來的…？
年輕時
我在瓜地馬拉大使館工作
瓜，瓜地馬拉?!
那裡有一個非常好看的男性
啊呀那個！
啊蒼鷺
好像常常從多摩川飛過來
我一定是偏愛好看的人
他的膚色淺黑人很優雅
輪到那個人回國的時候——

他跟我說——
想跟妳一起
在我的農場
騎馬
啊、
所以
妳去學了
騎馬嗎？
我就像艾莉絲
一樣追了過去
呵呵
要說是太認真
了嗎，是在做
夢吧
追到
他的國家
艾莉絲
……
回德國以後
不知道有沒
有結婚
結婚了吧？
那時代的女人
不結婚的話
可能連飯都沒得吃
我呢
從以前開始
就不太
喜歡現實喔
蛤？
所以——

一直一直
活在夢裡
結婚是強迫人
進入現實吧？
怎麼說…
妳也
很厲害耶
是嗎？
我的話
該說是被現實
壓垮嗎…
從小學到大的
好友被男人搶走
對我說，只希望
得到妳的祝福

我啊
完全太小看
自己了
是喔！
我呢，竟然想說
我是可以祝福
他們的人喔！
哈…
也出席了
婚禮，就那樣跟
那兩個人
維持友好的關係
然後，那樣持
續了四年半
嗯？
怎麼？
圓形禿
這邊
禿了三塊
那之後
出現了
解離症狀
解離
症狀是？
在現實中
沒有現實感
那類的…
好像
自己
不是自己了
很普通的事情
我再重新一看
感覺很奇怪

為什麼，所有人可以腳步都左右、右左那樣
風景看起來像是佈景一樣
自己的手也像是遠端操作的道具……
然後呢？
我從那兩個人身邊逃走了
搬了家，跟不怎麼喜歡的男人同居了三個月
要說是治好了嗎？反正那樣就痊癒了呢
是嘛……
不得了呢
蛤！哪裡啊……哈哈

嘎哩嘎哩嘎哩嘎哩嘎哩
這一陣子，牠吃得特別多耶
最近沒別人餵啦！
上面的——紫星人沒看到人影了！
已經接近一個星期！
所以，我很擔心，打電話給管委會了
然後呢說也許是旅行又說什麼隱私有的沒的根本就沒在解決事情！
……
要去看看嗎？
11樓
垃圾先放著吧！
是喔
ドサッ
咚

ピンポーン
ピンポーン
叮咚ー
安靜ー…
嗅
嗅嗅
也沒發出什麼特別的味道…
可是紫色他會出門旅行嗎？
……
紫色那邊的貓咪……
ピー
ピーッ
嗶ー
嗶ー
バサッ
啪

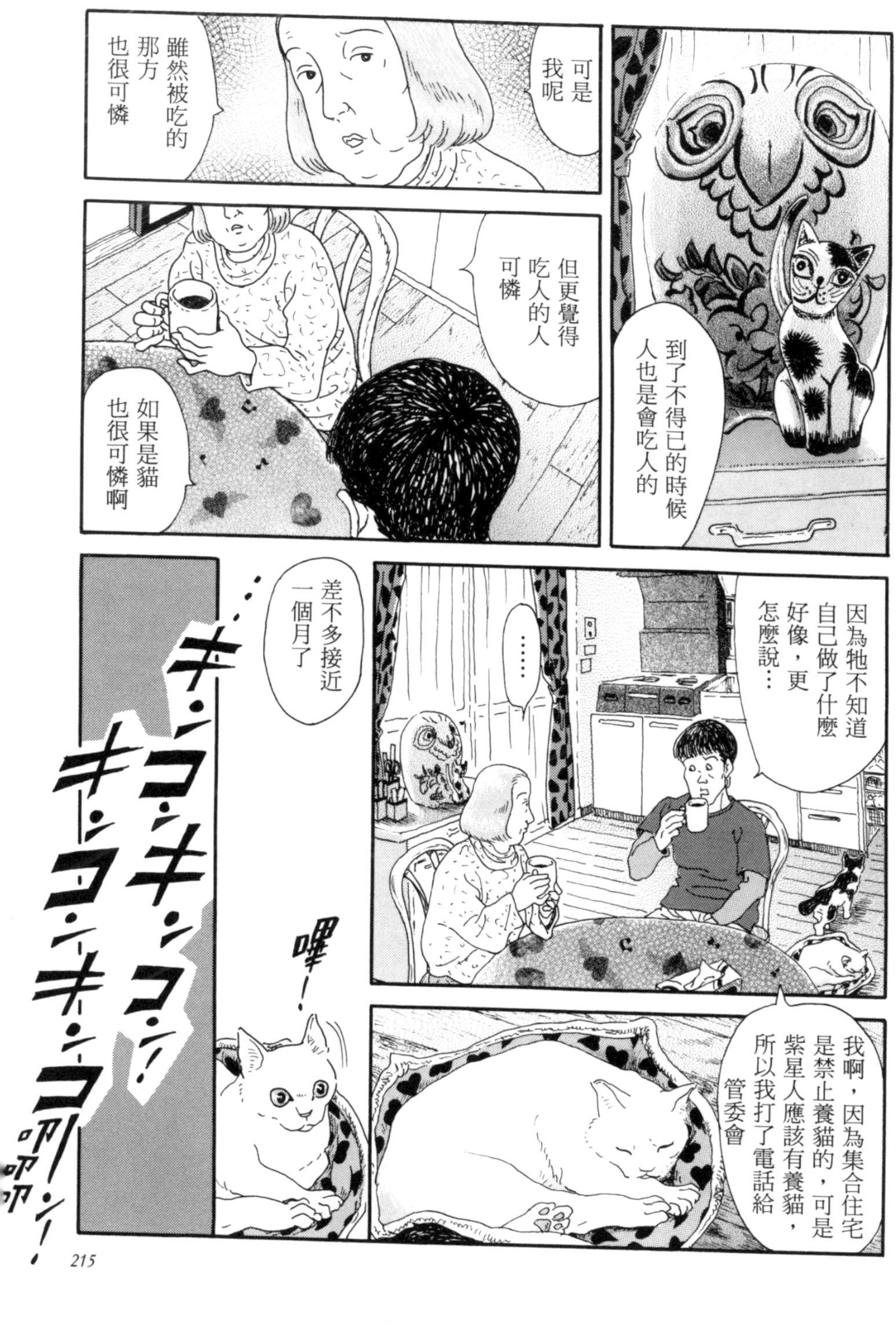

到了不得已的時候
人也是會吃人的
可是
我呢
雖然被吃的
那方
也很可憐
但更覺得
吃人的人
可憐
如果是貓
也很可憐啊
因為牠不知道
自己做了什麼
好像，更
怎麼說…
……
差不多接近
一個月了
我啊，因為集合住宅
是禁止養貓的，可是
紫星人應該有養貓，
所以我打了電話給
管委會
…キンコンキンコン！
キンコンキンコーン！
叮咚叮咚
嗶！

啊！果然是去世了?!
咔躂
前天終於進去房間了！
聯絡了他妹妹讓她也在場
貓呢?!
還活著！乾飼料的袋子掉在地板上水是喝雨水還是什麼總算保住一命的樣子
太好了呢！
然後呢管委會的人說今天他妹妹也會來整理什麼的可以的話要不要看看他
因為啊，我們是通報的人，所以
怎麼辦？
……
過了一個月喔
我對那種的有點…

我也不要好了
欸——！為什麼？！
呵 不想看那種的？！
怎麼把他運下來？這邊的電梯太窄了吧
咦？
棺木……我們是專門搬家的所以
啊，是嘛！
立起來的話裡面會歪一邊吧
呵呵呵呵
唉呀妳
請務必看我哥哥最後一眼
ぐリン笑
啊好的！
南無阿彌陀佛…

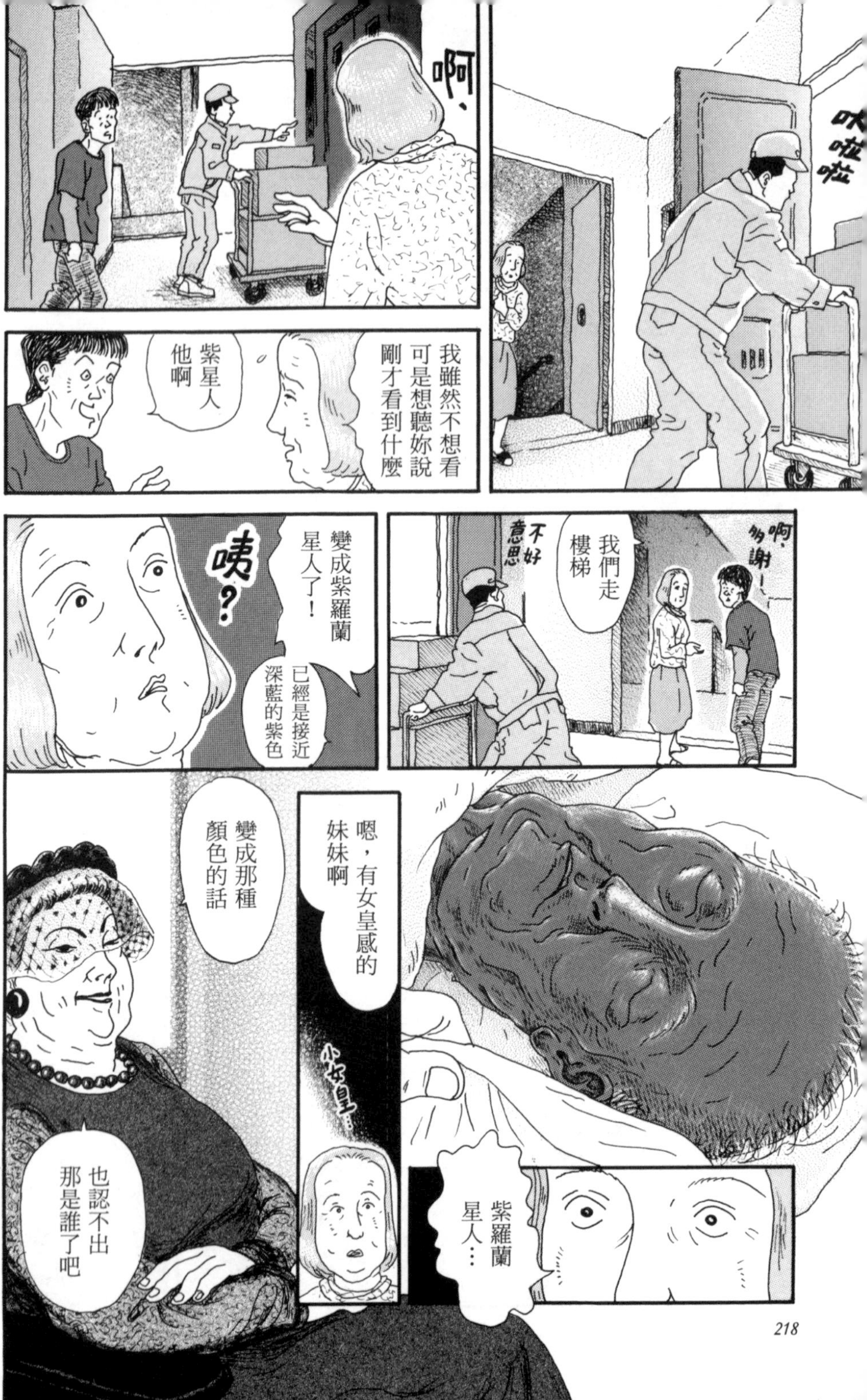
咻啦啦
啊、
我雖然不想看
可是想聽妳說
剛才看到什麼
紫星人
他啊
啊、多謝！
我們走
樓梯
不好
意思
變成紫羅蘭
星人了！
咦？
已經是接近
深藍的紫色
嗯，有女皇感的
妹妹啊
小女皇…
變成那種
顏色的話
紫羅蘭
星人…
也認不出
那是誰了吧

大概是
那個是要變成木乃伊了吧也完全沒有味道
……
貓咪，蹲在櫥子的最裡面——是黑貓
有人把飯和水放在那裡
然後女皇般的妹妹說要把貓野放到外面
什麼！
真沒辦法我們就養在哪裡吧晚點拿籠子去接貓
是嗎…這樣也好啊
啊然後呢出來的時候
架子上還放著相框
拍的是還年輕的紫色跟一個女人
不過…我有點想看看那個妹妹…

很平常的、好像滿溫柔的女人
紫色笑得非常幸福的樣子
是那樣嗎!!
兩個人的中間
有可愛的少年——
まあ！是嗎！
所以那個人總是……
他不是稻垣足穗，他是一個「爸爸」！
欸？
不是 不是 不是 不是！對不起！
沒有
還說他是外星人！他果然…還是人類！

沒有什麼
少年
……
欸
那個…
什麼意思？
總之
我差點要說
沒有比較好
的話了…
為什麼
如果有拍到少年
紫色的人生故事
會變得太有道理
太簡單
……
如果有的話
可以創作
一部漫畫了
哈…
漫畫？
…妳要畫嗎？
……
…嗯~
……

那樣整理成故事我最近有點覺得沒趣了…
活著這件事——
寫成「故事」什麼都清清楚楚了
啊——
好像是，更奇怪，更複雜又莫名其妙的……
——不過，要說的話…住在這裡的每個人雖然都是普通的阿公阿婆
也有壯年的意氣風發的時候
對喔——！
那個真好耶
借的
也有被稱作少女或是小姐的時候…

哈哈哈哈
應該有過
很多
很多事
謝謝您
謝謝您
是啊…
滿鐵的大小姐
她也有撤退回
日本的時候
應該
是很辛苦的
吧
可是兒子卻
變成了貝多芬
哈…
還是
讓他繼續
當外星人好
嗯…
就連軍雞女士
真正發生了
什麼
我們也不知道
咕
紫色先生
也是…
大家——

是怎麼
活過來的呢

在抵達這個最後的居所之前

下一個就是我們了呢
嗯
下次就輪到我們了吧
可是……
妳看池之公園的新綠真是漂亮！
新綠……在之後也會一年一年的
是啊
就算我們不在了也會一直繼續下去——
那樣
可能也很好……

〔解說〕……吳智英

解說
跨越二十年的空白

吳智英

這是齋藤蕣睽違許久的單行本。總共三集的《戀愛烈傳》在一九九五到一九九八年之間出版，所以這本已經隔了二十年（選集版本的《如病態般愛過的文豪們》在二〇一三年發行）。這段期間以來，齋藤在做什麼呢？除了照顧家人，也在京都精華大學教課。兩邊的工作都告一段落後，她再度提筆畫漫畫。

這二十年間，齋藤蕣逐漸成為被忘記的漫畫家。雖說是漫畫界數一數二的實力派，只因為在書店的架上看不到她的新作品，也開始被遺忘了。

收錄在本書中的〈囚人〉，收錄在以京都精華大學漫畫學部畢業生為主發行的準同人誌裡。同人中有幾位，曾經在精華大學上過齋藤蕣的課。但是，他們本來完全沒聽過齋藤的作品，連她的名字都不知道。直到上她的課，過了一段時間，才想起老師似乎是漫畫家，她畫的是什麼樣的作品呢，於是在大學圖書館找來讀，驚嘆不已。說我們竟然被這麼厲害的老師教到了。

確實，齋藤蕣是作品極少的漫畫家。《鳥獸草魚》（一九九一年）、《片片草紙》（一九九二年）、《沒有迷路的城鎮》（一九九四年）、以及前面提到的《戀

愛烈傳》單行本，就是全部了。二十幾歲的學生不知道她，也不奇怪。但是，稍有年紀的漫畫愛讀者中，有很多齋藤薺的粉絲。我也是其中之一。

齋藤薺出道成為漫畫家，本來就是大器晚成了。第一篇作品〈大麗花〉是她四十歲的作品。

這篇作品發表在一九八六年年底發行的《BigComic》（一九八七年一月十日號）。是昭和六十一年度（一九八六年度）前期的 BigComic 獎的入圍作品。有幾位參與選拔的資深漫畫家擔心這篇作品不是當時流行的畫風，不容易被接受，這也是頗有意思的事情。如果只是那種程度的作品，不要選進去也行，但實際上就是入圍了。一般人接不接受是一回事，可是也不得不承認這位漫畫家的實力。為了登出這總共三十七頁，篇幅太長的新人作品，採用了一頁刊登兩頁稿子的破天荒的刊登方式。即使如此，也沒有省略部分而刊載，在勇於全部刊載的地方，我能感受到編輯的熱情。

內容是從少女的眼睛所見的大人世界。並非十分戲劇化的表現，但是巧妙地描寫了少女纖細的感性和大人的哀愁，是很完美的短篇作品。我覺得有接近向田邦子和山本周五郎的地方。分鏡的連結和故事開展也不像是新人。後來才知道這位作者在那之前沒畫過漫畫，但從事過像是插畫報導的工作。即使是那樣，身為新人，她的畫和故事，都讓人感覺到超凡的能力。一直到她出單行本以前，我都會剪貼她刊行的作品，做成檔案保存。

本書中收錄的作品除了〈孤獨死之館〉和〈囚人〉兩篇以外，都刊登在《故事特集》雜誌中。

《故事特集》創刊於一九六五年底，結束在一九九五年，是被稱為迷你漫畫誌或是小漫畫刊的月刊雜誌。說「迷你」或「小」，但在全盛時期，實際銷售量也達到了一萬五千本。總編輯是記者矢崎泰久，執筆陣營除了矢崎以外有小松左京、寺山修司、小澤昭一等人，封面和插畫有橫尾忠則、和田誠、宇野亞喜良等人。是這個時代的代表作家們齊聚登場的雜誌。

齋藤薺在《故事特集》上連載漫畫，在某種意義上，可說是必然的。在一九六五年創刊時，齋藤還是十八歲的少女，漫畫連載時是四十五歲。她幾乎與時代同行，體驗和思考都和時代共振。然而，在某一面，也限制了讀者群。

〈海岸的閃電〉裡的海女藝妓「鮑魚」

齋藤連載發表作品的時期，雜誌的發行量已經陷入低迷，幾年後就停刊了。一九九二年，連載作品整理成《片片草紙》，由故事特集社發行，但想來發行本數並不多。證據就是，現在《片片草紙》的古書價格高漲，要價四五千円。當然，如果內容無趣的話古書價也不會水漲船高了。而且因為這樣的內容，發行的本數又很少。

書中的作品都不是特別艱澀的故事。登場人物和作者幾乎是同世代的男女。簡單說來是庶民，或者可以說是小市民的人物，但他們的內在都帶著點微妙的陰影。

〈鸚鵡之神〉裡的中年護理師

〈鸚鵡之神〉裡兜售小鳥的中年婦女

〈囚人〉裡的老婆婆

這次，隔了很久重讀，我重新察覺到她描繪和人物造形的巧妙。每個人物的樣貌完全不同。我反而能理解她入選BigComic時評審們的擔心了。通常，漫畫很重視「角色塑造」。只要能創造出富有魅力的角色，可以說作品就成功了大半，所以創造很多角色並不是簡單的事。手塚治虫會在不同作品也活用同一個角色，創造出被稱為「明星體系」的演員方式的理由之一，大概就在這裡。但是，書中雖然都是短篇，齋藤薺的作品，每一篇人物的長相都各自不同，在那些臉上，顯

〈孤獨死之館〉裡不同的臉部畫法

示了個性。這是需要極度勞力的恐怖工作，而讀者也需要花力氣在每一篇裡投射感情。也就是說，這個作風正和受歡迎的漫畫的常規背道而馳。

書中〈海岸的閃電〉裡，海女藝人的「鮑魚姐」的形象尤其迷人，她的長相，她的一舉一動，都很有魅力。如果不是鮑魚姐這個角色，無法造就〈海岸的閃電〉。

「鸚鵡之神」的中年護理師也是，非這個長相莫屬了。就因為那樣的容貌，才生出如同執念般的情色床戲。只出現一格的賣小鳥的中年女人的樣子也是，我覺得她在圖像上成為了重要配角。

〈囚人〉和〈孤獨死之館〉，是她不得不擱筆後，經過了二十年的作品。那段期間，雖說她在大學教漫畫，但筆鋒不僅未顯鈍重，反而越來越尖銳。

這兩篇作品，主題都是老和死。是因為齋藤薺親自進入了那個年代，經驗了家人的照護和送終吧。兩篇作品，都辛辣地描繪了在面對死亡時潛藏於人類內心深處的我執噴發的樣貌。這裡也一樣，臉部的造形非常棒。〈囚人〉中老婆婆看似傲慢的淺薄，如果不是這樣的角色就無法表現出來。〈孤獨死之館〉裡，接受了各式各樣的老人的老與死，也是因為角色塑造的多樣性才得以表現出來。在接近結尾的地方，有一個人這麼說：「活著這件事——好像是，更奇怪、更複雜又莫名其妙的……」。這樣的真相，用台詞講出來看似簡單，不過，齋藤一一描繪出了每個人的樣貌。這裡，存在著漫畫才能表現出來的能量。

附錄

《夕暮人生》中文版後記／導讀

只是近黃昏的夕陽下，沒有美好的童話

相信多數讀者和我一樣，對漫畫家齋藤薺（斎藤なずな）的大名多半陌生。這本在二〇一八年推出的作品《夕暮人生》（夕暮れへ），獲得許多獎項的肯定，但應該不在許多人閱讀的雷達內。不過千萬不要小看這本書，平實的畫風或許沒有商業漫畫的刺激精彩，又或者另類漫畫那樣張牙舞爪的印象，但在恬淡的表象之下，竟有著令人無法直視的強烈情感。《夕暮人生》是一首行經中年後，面對衰老和死亡的哀歌，曲調婉約，卻隱隱有著鎮魂曲的肅穆。書中每格雲淡風輕的敘事，都像一把把小巧而銳利的手術刀，沒有絲毫猶豫，劃開人們自我欺騙的謊言，迫使我們重新直視老年的身心樣態。

一九四六年出生的齋藤薺，初以插畫創作為主，四十歲時才決定投入漫畫創作，在上世紀末發表數本作品後，於漫畫圈悄然消失，時隔二十年才又出了這本選集。書中除了最後兩篇作品〈囚人〉、〈孤獨死之館〉是新作外，其他都是她在一九九〇年代的創作，當時連載時齋藤是四十五歲的中年，兩篇新作完成時，她已是超過七秩的老人，整本《夕暮人生》誠實傳達了齋藤對人生暮遲階段的諸多觀察。

重點就在於「誠實」，這兩字似乎理所當然，但卻是對青春逐漸遠去的人們最大的考驗。

就以同為漫畫創作者的弘兼憲史為例，一九四七年出生的他和齋藤屬同一世代，不同於齋藤的低調，他憑著長青漫畫島耕作系列，在漫壇呼風喚雨數十年，他筆下的島耕作也一路由公司基層的課長，當到了高階顧問的相談役。也因為作品多涉及商業、政治、社會有關議題，讓弘兼憲史從漫畫家晉升為日本團塊世代的意見領袖，出版了多本探討成功之道的文字書，獲得市場的肯定。一九九五年行將邁入五十的他，又專以中老年為主角，推出了短篇戀愛漫畫的連載《黃昏流星群》，以一則則黃昏之戀，主張即使步入年老，人生依舊能綻放光彩的人生態度，並對許多高齡社會的議題提出見解。亦如島耕作系列的操作，近年弘兼也寫下多本以中老年為主題的書籍，有些連臺灣都有翻譯。和漫畫相似，都在歌頌年老的美好，挑戰一般人心中對老人生活的刻板印象。

我之前才在東京大型書店的書架上，看到弘兼憲史二〇一八年出版的《人生七十才開始最有趣》（人生は七十歳からが一番面白い），厚厚一疊平放的陳列，內容談著滿滿的所謂「老人力」。這本書並不孤單，書店整個角落數個書架，都擺滿著內容相仿的書籍，這在高齡化的日本社會雖不意外，但當看到可以用「汗牛充棟」形容，那麼多闡述老年生活正向、積極的書籍迎面而來，不免感到莫名的哀傷。

說謊言可能太沉重，但這麼多努力鼓舞中老人的「信心喊話」（pep talk），更像是心虛者用來壯膽的口哨，淺白無力，只是間接證明了在「衰老」之前，凡人的卑微與渺小。

沒有人有辦法告訴你，步入中年的苦澀，不只是因為膽小，而是多數人都陷在肉身或心智的衰退裡，手足無措。你明明知道在內心深處依舊住著年輕的自己，但他早已在不知不覺中被歲月的觸手給綑綁囚禁。你當然曾試圖反擊，想方設法假裝自己青春依舊，但內外在老化的速度，遲早會戳破這空洞的偽裝。有人改變策略，大聲歌頌著夕陽無限好，就像弘兼憲史那樣帶有濃郁男性說教（mansplain）色彩的鼓吹，但再多大話，也難以遮掩身心的衰敗，以及面對死亡的恐懼。你發現人生已無太多的未來可以期待，一旦在夜深人靜時回顧過往，又有著太多的不堪與遺憾。

這正是《夕暮人生》一書的價值所在，你當然可以一直假裝是身著新衣的國王，等到寒流來襲，才驚慌失色。又或者接受來自《夕暮人生》這樣誠實的以「故事」為提醒，在心態上做好準備，體認悲苦和哀愁的必然，坦然以對。

《夕暮人生》裡的作品，可以分為中年齋藤和老年齋藤兩個不同的階段。中年齋藤的作品擅長由生活中的細節出發，挖掘出當中蘊藏或折射的情感，在畫面的營造和節奏上，仍帶有些許插畫的韻味。以日常中大小不一的平凡事物，寄託著中年的哀愁。

如〈夕暮人生〉裡水面浮冰勾起的回憶，無足輕重之中，承載著失落的中年男子對兒時的緬懷，在那隱晦而間接的性啟蒙裡，潛藏著生命的動能與韌性。〈裙子裡〉也是由「性」出發的緬懷，主角回憶兒時和友人想方設法，獲得製作標本的昆蟲採集組合，興致勃勃在草叢間捕殺蝴蝶，意外目睹了女性的私處，那一窺成人世界的時刻，日後只剩下惆悵。〈買了狗罐頭就回家吧〉以狗糧象徵安定的中年生活，對映著團塊世代年少時革命的呼喊，兩者間的得與失究竟是什麼？誰也說不清，或許皆是隨波逐流而已。

家庭則是另一個貫穿中年的主題，〈倒數計時〉以父親病榻上的最後歲月，談論父子關係，沒有大和解或大道理，只有父親在病榻上沒有尊嚴的難堪，和兒子殘破不堪的人生。〈螺鈿之舟〉則由父子轉為母女間的隔閡，直到母親去世之後，女兒才發現一生敵對的母親，心中有著和自己一樣的殘缺。〈銀杏〉裡患有失智症的祖母，模糊的記憶對應著下一代家庭的失序，在一片混亂之中，也只能有點阿Q的安慰自己，崩解的美好，如同銀杏落葉的一瞬。

但中年齋藤並不是只有悲觀的一面，而是用婉轉而非說教的口吻，試著給予力量。〈鸚鵡之神〉以飼養鸚鵡為隱喻，討論著人生的執著與逃避，兩者往往是一體兩面，面對生命的無常和反覆，我們只能擺脫這些沒有必要的執念，緊緊捉住並珍惜身邊重要的存在，不再於得失的漩渦裡載沉載浮。〈海岸的閃電〉圍繞著白日潛水捕撈魚貝，夜晚兼當藝妓賣笑謀生的海女，經由年輕插畫家之眼，不單描述海女的辛酸，更藉由閃電一瞬的絕美身影，呈現女性在逆境下努力保有的獨立。

對比於中年，老年齋藤更為冷酷而無情，連筆觸都不再像是早年輕柔的插畫風格，畫面出現大量以線條堆疊而成的陰影，並不再用間接的隱喻表達生命的沉重，而是毫不保留地在每一個畫格裡，以線條、構圖到敘事，抽去所有希望的空氣，只剩下窒息的壓抑。角色的面容與其說寫實，不如更接近醜惡；大幅激增的對話，與其說為了情節的推進，不如說是呈現人世的雜亂紛擾。故事軸不論單一或多線，最後都將導向死亡，然而死亡只是一面鏡子，用來折射貫穿於〈囚人〉、〈孤獨死之館〉兩則故事裡最根本的質問：當生命走向尾聲之際，「活著」究竟有什麼意義？

〈囚人〉裡討人厭的老婆婆，不論子女或醫院的看護者，乃至同病房的病友，都讓陷入失智妄想的她給得罪光了，更確切地說，妄想把她的心靈徹底表露，裡面充滿性格的缺陷、對人生的各種怨懟，以及身陷孤獨的寂寞。在子女一搭一唱的回顧裡，作者並無意單純訴說故事，而是以現實／超現實交替的畫面將「真實」擠壓、拓印於紙面，那是日日在醫院病房裡都會扮演的情節。〈孤獨死之館〉則將〈囚人〉對個人的探討擴充為社區，成為一則高齡社會的眾生相。歲月無情摧毀著故事中的每個人，死亡的陰影則常駐在他們身邊，青壯年的豐功偉業早已無人聞問，肉身只剩衰老，心底只有悔恨。最後開放的結局，已經讓人無法分辨，究竟是智慧的了悟，還是認命的妥協。

〈孤獨死之館〉卷末那句「活著」，「好像是，更奇怪、更複雜又莫名其妙」的事情。就像是作者一路解剖下來獲得的最後結論，承認生命的無解，並在無解之中繼續堅持的活著。聽起來好像有點無奈，但卻勝過那些「老人力」的自我安慰。在無常之中，帶著老去的肉身和心靈，背負著生命中大小缺憾緩緩前行，如同希臘神話扛著巨石的薛西佛斯，那或許才是近黃昏的人生應有的莊嚴姿態，也是《夕暮人生》試圖告訴讀者的誠實告誡。

翁稷安

【漫畫研究者／暨南國際大學歷史系副教授】

最初發表處

夕暮人生	「話の特集」1991 年 4 月号
海岸的閃電	「話の特集」1991 年 7 月号
鸚鵡之神	「話の特集」1992 年 2 月号
買了狗罐頭以後回家吧	「話の特集」1991 年 3 月号
倒數計時	「話の特集」1992 年 3 月号
螺鈿之舟	「話の特集」1992 年 4 月号
銀杏	「話の特集」1991 年 6 月号
裙子裡	「話の特集」1992 年 6 月号
囚人	「キッチュ」3.5 復活号 2012 年 12 月発行
孤獨死之館	「アックス Vol.108」2015 年 12 月 31 日発行

MANGA 013

夕暮人生

夕暮れへ

作者	齋藤薺（齋藤 なずな）
譯者	高彩雯
導讀	翁稷安
美術／手寫字	林佳瑩
內頁排版	藍天圖物宣字社
校對	魏秋綢
社長暨總編輯	湯皓全
出版	鯨嶼文化有限公司
地址	231 新北市新店區民權路 108-3 號 6 樓
電話	(02) 22181417
傳真	(02) 86672166
電子信箱	balaena.islet@bookrep.com.tw

發行	遠足文化事業股份有限公司【讀書共和國出版集團】
地址	231 新北市新店區民權路 108-2 號 9 樓
電話	(02) 22181417
傳真	(02) 86671065
電子信箱	service@bookrep.com.tw
客服專線	0800-221-029
法律顧問	華洋法律事務所 蘇文生律師
印刷	勁達印刷有限公司
初版	2024 年 3 月
初版二刷	2024 年 5 月

定價 400 元

ISBN 978-626-7243-58-9

EISBN 978-626-7243-56-5（PDF）

EISBN 978-626-7243-57-2（EPUB）